軍艦島の生活〈1952/1970〉

住宅学者西山夘三の端島住宅調査レポート

目次

装丁・本文デザイン　森　裕昌

■凡例

〈写真編〉

一、収録した写真、スケッチ、図面類は、とくに注記があるものを除き、すべてＮＰＯ西山夘三記念すまい・まちづくり文庫が所蔵し、著作権も含め管理するものである。

一、写真のキャプション（説明文）は、本書の編集にあたって新たに作成した。冒頭に付した［1952］や［1970］は、その写真の撮影年を表す。

一、写真フィルムには、時間の経過による変色・退色などが生じているカットも多く含まれていたが、歴史的資料であることを鑑み、補正や修正などを行わなかった。

一、キャプションの「ＲＣ」は、「鉄筋コンクリート造」の意。

一、その他詳しくは、写真編とびら裏の解説を参照のこと。

〈調査レポート編〉

一、論文再録にあたっては、旧漢字・旧かなづかい及び一部の度量衡の単位などを現行のものに改めた。ただし、固有名詞や他文献からの引用箇所に関してはこの限りではない。

一、原文の明らかな誤植などの単純な誤りについては原則改めたが、文意に関わる箇所及び歴史的な用語・表現については、歴史的な資料であることを考慮して極力そのまま収録し、必要なものには新たに正誤の注記を附した。

一、片寄俊秀氏の『軍艦島の生活環境』については、再録にあたって著者本人が校正を行い、単純な誤植以外にも、出典注記など、若干の修正をほどこした。

一、その他詳しくは、調査レポート編とびら裏の解説を参照のこと。

序・軍艦島と西山夘三

松本　滋

　この本の舞台である端島（はしま・通称軍艦島）は、長崎の沖合に浮かぶ、南北480m、東西160m、面積6・3haの極小の島である。にもかかわらず、今では日本の数ある無人島の中でも最もよく知られた存在となっている。その理由は、軍艦島が不思議な多面性を持つことにあるのではないだろうか？　この島が近代の石炭産業の技術発展を体現していたことだけでなく、日本で最初のRC（鉄筋コンクリート）高層集合住宅・海底水道・離岸式ドルフィン桟橋・屋上幼稚園・屋上庭園あるいは当時日本最高層の公立小中学校建築などを持ち、世界最高レベルの人口密度であったといった特異な居住空間を形成していたこと。1974年に炭鉱としての役割を終えて後、廃墟ブームの中で、テレビ・新聞などのマスメディアや書籍、そしてネット上などで注目され、風波の状況によっては上陸できない悪条件にもかかわらず上陸観光船に人があふれるほどの特異な観光地として人気を集め、最近では「明治日本の産業革命遺産」の一つとして世界遺産にも登録されようとしていること。一方で、戦前・戦中の過酷な納屋制度や朝鮮人・中国人の強制労働などの暗い歴史をも秘めていること。また、大正時代に長崎で建造されていた戦艦土佐に似ているとして地元新聞に取り上げられたことから広がった通称「軍艦島」のネーミングが広まったことも、今日のブームに少なからず貢献したと推測される。（本書でも端島と軍艦島を適宜使いわけている。）

　この本は、昭和の時代に日本の住宅学を切り拓いた住宅学者、故西《にし》山《やま》夘《う》三《ぞう》・京都大学名誉教授（1911～1994）が、戦後のこの島が最も活発だった時代の1952年と1970年に訪問調査した際に撮影した写真や収集資料、報告論文をベースに再構成し、当時の軍艦島の住環境や住民の暮らしを描き出そうとするものである。そして、日本の近代化を牽引した石炭産業の生産の場としてだけでなく、それと密接に結びついた生活の場としての端島、つまり無人の岩礁であった島が、5000人を超える人が働き、暮らし、生まれ育つ場となり、40年前に突然に無人の廃墟となった歴史をその光も陰も含めて考察している。

　軍艦島の歴史の中では、露頭炭から竪坑、横坑による海底炭層の採炭へ、切羽での採掘もツルハシから圧搾空気式削岩機、そして大型機械カッターへ、油を燃やす安全灯からキャップランプへ、石炭搬出も人力から馬力、電動トロッコ、ベルトコンベヤへ、危険なガスの排出や高温高湿の坑内を冷やすための換気装置の設置等々生産力と安全性の向上のために技術的近代化が次々と進められた。一方、島でのあいさつや鉱員を送り出す家族の言葉が「ご安全に」であったように、落盤、出水、火災、ダイナマイトやトロッコや立坑エレベーターの事故など多くの犠牲もあった。軍艦島の石炭は八幡製鉄所に欠かせないものとなるなど、軍艦島は日本の工業化、資本主義化を支えたまさに産業近代化遺産の一つである。しかし、技術的近代化については他の多くの文献にゆずり、この本では特に専門的に考察してはいない。しかし、こうした変化も光としてあるいは陰として島の生活に反映されていることは無視できない。

西山の調査は、およそ２００年にわたる軍艦島の歴史のうち、戦後の一時期のおよそ20年間のものである。軍艦島の歴史については、片寄俊秀氏の論文では１８９０年以降を4つの時代に区分しているが、ここではそれにその前史と廃鉱後も含めた次のような６つの時代に区分して、その中で、西山の調査を位置づけてみる。

第一期～第三期は、軍艦島が近代的炭鉱として成長する一方で、鉱山労働においては、前近代的性格を色濃く残していた時代で、島はほとんど世間から隔離されていた。第四期～第五期は石炭業近代化と企業支配と高密居住の時代で、その特異な空間とコミュニティが一部の専門家に注目される程度であった。第六期は、突然の廃鉱により無人島となってから、荒廃してしまった頃になって、俄然広く注目を浴びるようになった現在にいたる時期である。

西山が端島を訪問したのは、第四期の前半の１９５２年10月と第五期の後半の１９７０年5月の2回である。いずれも、戦前の第二期や三期のような暴力的な強制労働の暗黒時代を脱し、生産技術や労使関係の近代化、合理化が進み、労働条件も生活環境も改善が進められていた端島としては最も恵まれた時期にあたる。それでも、端島は誰もが気軽にふらりと立ち寄れる所ではなかった。全島が三菱の社有地であり、西山たちは会社の事前許可を得、会社の船に乗り、会社の案内で、会社の職員クラブに宿泊し、資料の提供を受けるというたれりつくせりの応援を受けたが、同時にそれは会社の管理下におかれた視察であった。

第1回目訪問の１９５２年は、出炭量も、戦時中の強引な採掘量ほどではないが順調に拡大しており、人口も５０００人前後と多い状態が続いていた。戦争で壊滅した日本の産業復興のカギを握るエネルギー源として、石炭産業復興政策が国の最優先課題とされ、生産施設だけでなく炭鉱住宅なども政府からの補助を受けて整備が進められていた。訪問時は、第三期までのひどい状況に比べると、賃金と暮らし、環境は格段に向上しつつあった。一方、単身労働者を前提とした納屋制度と違い、家族持ちの労働者が増えたこともあって人口は最大になり、世界でもまれに見る高密居住の問題はますます深刻となっていた。１９５２年は、日本が占領軍のＧＨＱの支配から独立した年であり、日本の経済復興のきっかけとなった朝鮮戦争の休戦交渉が進められ、また翌年にはテレビ放送が開始されるという時代であった。

第2回目訪問の１９７０年は、第四期の最後に起きた坑道のガス火災事故による1年間の休山の後で、再開後の人口は最盛期の半数程度に激減していた。採炭は機械化、合理化が進められる一方、高密居住問題はやや緩和に向かった。この時期、石炭から石油への国のエネルギー政策転換により、全国的に石炭産業が斜陽化する中でも、端島はビルド鉱と呼ばれる優良鉱として存続しており、西山の訪問時は、前途洋々ではないもののそれなりに安定した時期を迎えていた。日本はちょうど経済成長の最盛期にあたり、絶海の孤島で「きつい、きたない、きけんな」３Ｋの仕事に従事する鉱員を確保するには、高い給与と年金、よりましな住環境、いたれりつくせりの福利厚生が欠かせなかった。例えば、高度経済成長期の生活革新の象徴とされた三種の神器（テレビ、洗濯機、冷蔵庫）の普及は都会よりも早かったという。「一山一家という気のおけない島の社会、給料も良く、福利厚生も充実していて住みよい島であった。ある意味パラダイスであった」といった元島民の言葉は今はなき故郷を懐かしむノスタルジーだけではない、一定のリアリティをもっている。

西山は訪問直後に端島礦が閉山し、無人島に化すとは予想もしていなかった。閉山の原因は、１９６４～5年の休山後発見された三ツ瀬の炭層も、採算性から見てほぼ掘りつくしてしまったこととされている。そのため全体として石炭産業が衰退する中でも、端島礦としては黒字経営のまま廃鉱となり、退職金も転職もそれなりに優遇され、労働組合も比較的円満に同意したという。それでも、隣の高島鉱などに移転できた人も短期のうちにまたもや閉山に見舞われ、他の地に転出した人も、厳しいけれどものんきな軍艦島の生活習慣から抜け出して新しい生活に適応していくのは大変であったという。

このように、西山が見た軍艦島は、近代化が進み、消滅寸前の最後の光芒を放っていた軍艦島であった。西山は、今では世界記憶遺産となっている山本作兵衛の炭鉱絵画にも早くから注目して炭鉱生活史を調べるなど、戦前の軍艦島についても目を向けているが、当時入手できた資料はわずかしかなかったし、会社の管理下での訪問調査の制約も大きかった。西山の住宅調査の手法の特徴は、単に建築物としての住宅だけでなく、暮らし方や生活意識を含む「住み方調査」という方法にあるが、軍艦島訪問時にはその一部を垣間見る程度にとどまらざるをえなかった。

西山が軍艦島を訪問した理由は、島の特殊な環境にのみ興味があったからではない。西山は学生時代から日本の庶民住宅の研究を進め、その分野を切り開いたパイオニアであった。そして60年余りの昭和の時代を通して、北海道から沖縄まで、また大邸宅から長屋、終戦直後のバス転用住宅まで、あらゆる日本の住まいとそこにおける人々の暮らしを見続けた住宅学者であった。そして昭和という、住宅、家族、ライフスタイルが激変し、厳しい住宅難と立ち向かわなければならない時代の住宅学者として、軍艦島の住まいと暮らしは見逃すことのできない研究対象であった。彼の住宅研究の集大成として刊行された大著「日本のすまいⅠⅡⅢ」（1975～1980）の軍艦島に触れた部分や報告論文からは軍艦島調査にあたっての次の三つの視点を見て取ることができる。

1．炭鉱住宅および社宅の一つとして

戦争で壊滅した産業の復興にあたっては石炭増産が国策として最重視され、住宅分野でも戦災復興の先陣を切ったのは炭鉱住宅であった。その多くは木造長屋の社宅として供給された。都市を離れた僻地では住宅市場は存在しなかったし、特殊な勤務形態から職住近接が必要であり、全国的な厳しい住宅難の中では安価な社宅の存在は有利な求人条件でもあった。

社宅は賃金と同様、職階による格差があり、また生活施設全般も福利厚生の一環として企業が供給することが多かったが、一方で労働者の生活を企業に強く縛りつける労務管理の面も強かった。西山は北海道や九州各地の炭鉱住宅の調査をしているが、その中でも特異な事例

軍艦島の歴史的区分

第一期　原始的採炭期　1810～1889年
端島における石炭の発見から露出炭の小規模な採炭の時代

第二期　納屋制度期　1890～1914年
三菱による事業、本格的海底採炭、納屋制度による悲惨な暴力的労務管理の時代

第三期　産業報国期　1914～1945年
戦争遂行に必要な最大採炭量追求のための直轄労務管理と朝鮮や中国からの強制労働の時代

第四期　復興・近代化期　1945～1964年
石炭産業復興政策をベースにした採炭技術と労使関係の近代化、合理化、島内人口最大の時代

第五期　石炭衰退・閉山期　1964～1974年
ガス火災事故による採掘中断とエネルギー転換政策を乗りこえて採掘を再開し、一時的に繁栄を謳歌し、そして突然の閉山を迎えた時代

第六期　廃墟ブームと産業遺産期　1974年～
端島は無人に、企業から自治体所有に、立入禁止になり、風雨波浪により崩壊が進んだが、廃墟ブームをきっかけとして一部観光地として開放、一方近代産業世界遺産登録の動きも進んでいる現在

として軍艦島にも注目していた。軍艦島は全ての空間を企業が所有管理しており、また水、電気、食料など生活に必要なものをほぼ全て島外に依存せざるをえず、こうした社宅の特性が強く独特の形で現れていたからである。

2．高密・高層住宅の一つとして

日本でも最古と言われる1916年建築の30号棟や1918年の16・17・18号棟（日給社宅）など、日本人が経験したことのなかった高層高密居住とその間取り、設備、部屋配置、住棟配置の展開の実験的試みは、良い面も悪い面も含めて得がたいものであった。単身労働者の雑居生活から家族世帯への変化、水道、ガス、水洗便所、家電や家具の普及、ライフスタイル、生活意識や要求の変化への対応も多くの教訓を含んでいた。その時々に対応しようとした建築技術者のさまざまな工夫の成否も興味のあるところであった。

3．企業社会、コミュニティの特異な例として

企業に管理された職住近接の離島という孤立した環境で、住民たちは、企業の労務組織、職制組織や労働組合などを中心として、年齢・性別・地区・宗教・教育・趣味などさまざまな組織に属し、命がけの職場の団結をベースとして、「一山一家」と呼ばれる家族主義的な強い一体感を持つコミュニティを作り上げていた。鉱長をトップとして、職員、坑外鉱員、坑内鉱員、下請け労務者などと堅固なピラミッド型の居住地配置や住宅ポイント制などの住居改善システムも存在した。それらのコミュニティの特徴も西山の興味の対象であった。

また、日常生活だけでなく、台風の風波による生産施設や生活施設の被害は常に軍艦島最大の課題であったし、火災件数も多かった。坑内では、落盤、坑内出水、坑内火災、ダイナマイト事故、トロッコ事故などが頻発しており、端島の閉山式では、これらの犠牲者215名に黙祷を捧げたという。鉱員のケンカ、殺人、傷害、自殺、心中、脱走と溺死、リンチも特に戦前には多発しており、労使間でも暴動や自然発生的サボタージュ、ストライキなどが頻発していた［「軍艦島を世界遺産にする会」公式WEB内、「端島詳細年表」他参照］。こうした事は西山訪問時には改善されていっていたとはいえ、住まいや生活に影響を与えていたことも無視できない。

もう一つ、この本を刊行する特別な意義がある。西山には変なこだわりがあった。西山は日本の住まいを調査するにあたって莫大な数の写真を撮っている。ところが「日本のすまい」などの著書ではその写真を一枚も使っておらず、全て自筆のスケッチや図を用いている。したがって、軍艦島についても貴重な写真の多くが未発表のままとなっていた。今となっては、廃墟写真ではない、生きていた軍艦島の住宅や住環境の写真は貴重なものであろう。これを再構成して公表し、人間居住の特異な事例としてありし日の軍艦島を知っていただくことは、多くの軍艦島本が刊行されている今日においても格別の意義があるものと思う。

また、併載した二つの報告論文も、半世紀も前の論文ではあるが、専門研究者の目で見た当時の軍艦島のリアルな姿を知らせてくれる貴重な資料である。やや専門的ではあるが多くの方に目を通していただきたい。

すでに廃墟となってしまい、時とともに崩壊していく軍艦島を今後どうするのかが大きな課題となっている今、本書を通して生きていた頃の軍艦島の姿を知り、そこから学ぶことがその一助となれば幸いである。

（西山夘三について詳しいことは、西山夘三の遺した膨大な学術資

料を元に設立されたNPO西山夘三記念すまい・まちづくり文庫のホームページを参照されたい。検索は「西山文庫」で)。

軍艦島200年の歴史

第一期　原始的採炭期　1810〜1889年		
1810	文化7年頃	端島における石炭（露頭炭）の発見
1817	文化末頃	佐賀藩、高島炭鉱採掘開始
1870	明治3年	この頃露頭炭採掘開始
1886	明治19年	第1立坑（深さ27m）開削
第二期　納屋制度期　1890〜1914年		
1890	明治23年	三菱合資会社所有となる
1891	明治24年	蒸留水機（製塩機）により各戸に飲料水配給
1893	明治26年	社立尋常小学校設立
1896	明治29年	第2立坑199m完成
1897	明治30年	第1回埋め立て（八幡製鉄所開業）
1905	明治38年	台風被害により坑夫納屋30棟全壊
1907	明治40年	高島との間に海底電線設置
第三期　産業報国期　1914—1945年		
1916	大正5年	日本最古のRCアパート、30号棟＝グラバーハウス建設 少年（14〜16歳）、女夫の坑内労働開始
1918	大正7年	RC9階建てアパート16〜20号棟建設開始、当初は6階
1921	大正10年	長崎日々新聞で「軍艦島」と名づけて紹介
1922	大正11年	上陸桟橋（クレーン式）完成
1923	大正12年	第4立坑353m完成（主として換気用）
1927	昭和2年	映画館「昭和館」開館
1932	昭和7年	給水船進水、坑内運搬が馬からエンドレス(ワイヤによるトロッコ輸送)に
1933	昭和8年	女子の坑内労働禁止
1934	昭和9年	端島小学校舎（木造）が完成
1939	昭和14年	朝鮮人労働者（坑内夫）集団移入
1941	昭和16年	最高年間出炭量41万トン記録
1943	昭和18年	坑内労働時間制限廃止（坑内勤務12〜15時間に） 中国人捕虜労働開始
第四期　復興・近代化期　1945〜1964年		
1946	昭和21年	端島労働組合結成
1947	昭和22年	社宅割当点数制度実施
1949	昭和24年	端島を舞台とした松竹映画「緑なき島」 端島幼稚園（泉福寺）発足
1952	昭和27年	端島プール完成　**☆西山夘三第1回端島訪問**
1953	昭和28年	公営保育所を65号棟屋上に設置
1954	昭和29年	初代ドルフィン桟橋完成（1956年台風により破壊）
1955	昭和30年	高島町に合併
1956	昭和31年	南部商店街の木造家屋が堤防、地盤ごと流出
1957	昭和32年	海底水道開通、小中学校RC新校舎完成、木造校舎焼失
1959	昭和34年	最高人口5259人　前年完成のドルフィン桟橋再流出
1962	昭和37年	離岸式ドルフィン桟橋完成（現在も使用されている）
1964	昭和39年	坑内自然火災・ガス爆発事故、消火のため深部区域水没させ1年休鉱 4873人から3391人へ人口急減
第五期　石炭衰退・閉山期　1964〜1974年		
1965	昭和40年	三ツ瀬区域で採炭開始
1968	昭和43年	大手の優良鉱としてビルド鉱に指定
1970	昭和45年	沖合探炭工事中止　**☆西山夘三第2回端島訪問**
1974	昭和49年	閉山、無人島に
第六期　廃墟ブームと産業遺産期　1974年〜		
2001	平成13年	高島町に無償譲渡（現在は長崎市）
2003	平成15年	NPO軍艦島を世界遺産にする会発足
2005	平成17年	合併により、長崎市高島町字端島に
2009	平成21年	観光客の上陸・見学ツアー開始
2014	平成26年	世界遺産「九州・山口の近代化産業遺産群」の一部としてユネスコに推薦書提出

西山夘三略歴

1911年　大阪市此花区生まれ
1933年　京都帝国大学建築学科卒　石本喜久治建築事務所入所
1934年　歩兵第8連隊入営
1941年　日本住宅営団技師
1943年　「庶民住宅の研究」で日本建築学会賞
1944年　京都帝国大学講師
1946年　同大学工学部助教授
1947年　工学博士
1953年　京都大学「西山研究室」発足
1960年　日本学術会議会員（6期18年）
1961年　京都大学教授
1974年　同大学退職、京都大学名誉教授
1986年　日本建築学会大賞
1994年　4月2日死去、享年83才

主な著書

『国民住居論攷』伊藤書店1944年
『これからのすまい』相模書房1947年、毎日出版文化賞
『住み方の記』文芸春秋社1966年、日本エッセイストクラブ賞
『住宅計画』ほか全4巻著作集、勁草書房1968～69年
『21世紀の設計』全4巻編著、勁草書房1971～72年
『日本のすまい』Ⅰ・Ⅱ・Ⅲ、勁草書房1975～80年
『建築学入門』、『戦争と住宅』勁草書房1983年
『すまい考今学—現代日本住宅史—』彰国社1989年
『まちづくりの構想』都市文化社1990年
『歴史的景観とまちづくり』都市文化社1990年

17・18号棟（日給社宅）間スケッチ（西山夘三・画）

地獄段スケッチ（西山夘三・画）

写真編

ここに掲載した写真は、西山夘三が2回の軍艦島訪問時に撮影したものである。1952年のものはモノクロ、1970年のものはモノクロとカラーが混在している。これらは、西山夘三写真アーカイブとしてNPO西山文庫で保存しているものの一部である。

西山の写真は、祭りや運動会などのイベント記録や記念写真ではなく、軍艦島のごくありふれた日常を、つまり島民にとってはあまりに身近な住まい及び住環境を撮影したものであり、今となってはかえって貴重となっている映像が多い。その多くは今まで広く公開されていなかったこともここに掲載する意義となろう。ただ、住宅内部の撮影はなかなか許可してもらえず、ここに掲載したごく限られた事例にとどまっている。西山もそうだが、編者としても残念である。

なお、軍艦島には多くの住宅や施設があり、1952年から1970年の間にも滅失、建て替え、新築など相当の変化がある。したがって編者にとっては写真の多くは撮影場所、撮影対象を正確に同定することが困難であった。幸い、本書に論文を再録した片寄俊秀氏の大学時代の教え子でもあり長崎都市遺産研究会を主宰されている建築家、中村享一氏の協力をいただき、元島民の方にも問い合わせいただいて同定作業を進めることができた。ここに記して感謝したい。

また、写真の撮影場所については、94～97頁の配置図を参照されたい。

端島全景

軍艦島は、その細長い形態、海面から立ち上がる高い岸壁、低地から岩山上までさまざまな構造物が密集する独特のシルエットから、まさに往時の軍艦を彷彿とさせる。その周辺の海底で巨大な鉱山が24時間不眠不休で稼働しており、その上で5000人を超える老若男女が暮らしていたのである。

［1952］南東側からの端島全景。右から木造2階の学校、RC(鉄筋コンクリート) 9階の65号棟(報国寮)、岩山上に神社、木造の職員社宅群、貯水槽が並ぶ。崖下には第2立坑櫓(やぐら)がそびえ、鉱場の諸施設がひろがっている。

[1970] 南東側からの端島全景。右から病院、65号棟、小中学校、岩山上の幹部職員社宅の3号棟が新しく建築され、白く輝いている。木造社宅群、水タンク、崖下には第2、第4立坑櫓など鉱場の諸施設が広がっている。石炭積み出し桟橋には貨物船が接岸している。

右：[1952] 西側からの端島近景。右から第2立坑の櫓、30号棟(RC)、岩山上の貯水槽、25号棟(RC)、崖上の7号棟(木3)、崖下の24号棟(木3)、左端は補修工事中の日給住宅(RC)、その手前に映画館。
前頁下：[1952] 北西側からの端島近景。右から補修工事中の日給住宅16号棟、その下の岸壁の穴が大正時代まで使われていた旧メガネ桟橋の出入り口で当時はゴミ捨て場、その左は護岸に沿って59-61号棟建設工事中、66号啓明寮、67号鉱員合宿。岸壁に接したこれらの建物は高波からその裏の住宅を守る防波堤の役も果たしていて海側の窓が少なく小さい。子細に見るとRC建物には防空擬装の斜めの塗装が残っている。

下：[1952] 西側からの端島近景。右から30(RC)の一部、25(RC)、24号棟(木3)、お寺(木2)、映画館、その上の崖上の木造社宅はその後火災で焼失。この時期はまだ木造住宅が数多く見られる。北西側は東シナ海の外洋に面していて波が高いため、防波堤がとてつもなく高い。島になだれこんだ海水は岸壁にいくつも開けられた排水口から排出される。

上：[1970] 中央に干満や波高に応じて船の高さに合わせるドルフィン桟橋。上陸するとすぐトンネルの入口がある。岸壁の上に第二立坑櫓等鉱業所施設が広がる。左端には坑木用の丸太が山積みされている。その右は主として選鉱場。崖上は貯水タンク。

前頁：[1970] 南東側からの端島近景。右から病院（RC、最上階は看護婦寮）、65号棟（RC）、小中学校（RC）、岩山上の神社と3号棟（RC）。その下に第4立坑の櫓。中央の護岸の切れ目は小型船のためのスベリと呼ばれた船着場。

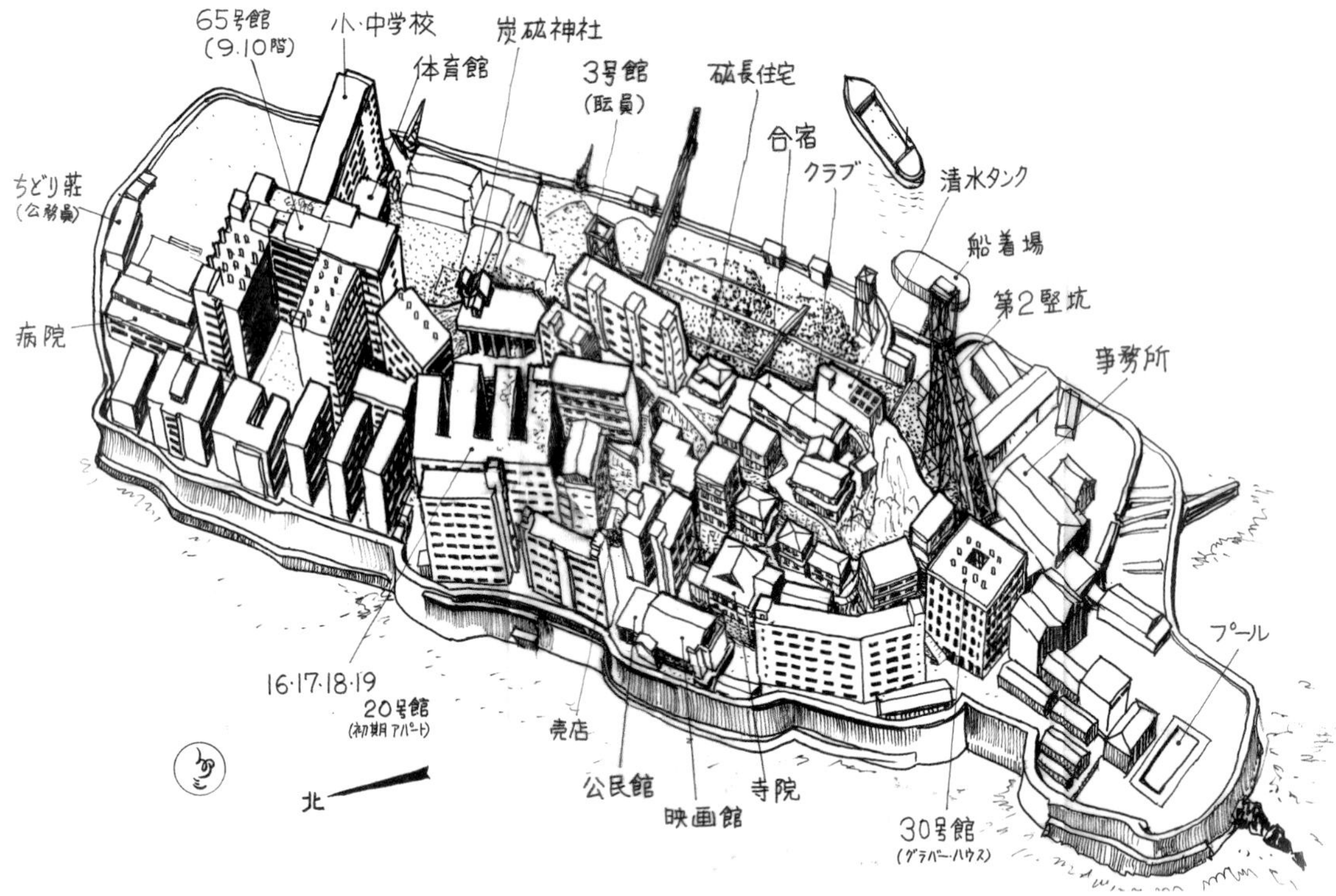

軍艦島鳥瞰図（西山夘三・画）

[1952] 長崎から端島に向かう連絡船の甲板。途中高島までは乗客が多い。

桟橋

ドルフィン桟橋ができるまでは連絡船は直接接岸できず、
揺れる船から縄ばしごで桟橋に上がるのはとても恐かった
荒い北西側のメガネ桟橋を利用していたが、南東側のドル
移り、鉱場を横切って住居地域まで行くための長いトンネ

[1952] ドルフィン桟橋完成前の旅客船用の桟橋。1952年当時はドルフィン桟橋はなく、連絡船からはしけに乗り換えて桟橋に上陸する。「端島砿」の看板の下がトンネルの入口。その後ろに第2立坑櫓と崖上の貯水タンク。

[1970] 連絡船中の西山夘三。
背景は中の島。

上：[1970] 島への唯一の入口、ドルフィン桟橋に連絡船が接岸し、タラップを渡って上陸。ネクタイ姿もあれば野良着姿の行商も。連絡船は社員は無料、家族も格安で利用できたが、届けが必要だった。
下：[1970] タラップを渡って上陸すると、その先には地下トンネルの入口があり、そこには島への出入りに関する注意看板がある。初めて島を訪れる人は暗く長いトンネルの向こうにどんな世界があるのか不安に感じたことだろう。

［1970］ドルフィン桟橋南側の護岸。コンクリートがはがれて昔の天川工法の石積み護岸が露出し、補強工事をしている。
次頁：［1970］旧メガネ桟橋付近から遠くに高島を望む。右手は51号棟。北西側護岸はとくに高く、波返しがある。

岸壁

明治初期には台風で炭鉱施設や住宅が全て流出することが繰り返され、その度に経営体も変わった。その後も台風被害は島の最大の問題であった。「天川工法」と呼ばれる石積みの防波堤にさらに鉄筋コンクリートで補強がなされた。特に外洋に面する北西面は15m近い高さになっている。それでも台風時には岸壁にぶつかった波頭は高層アパートや岩山を超える高さから島全体に降りそそぐ。

上：[1970] 北西側護岸の上部。幅も広く、島内の低地からは4m以上の高さがある。右はアール・デコ風の映画館。正面の白い鉱員住宅51号棟は波を防ぐため窓が小さい。
下：[1970]「メガネ」付近で分厚い岸壁から釣りをする人。交替勤務のため昼間の過ごし方も多様。趣味の釣り船を持つ人も多い。「メガネ」からはゴミが投棄されていたため、ゴミ収集のリヤカーなどが置いてある。

生産施設

一般人が地下坑内の採炭現場を見ることはできないが、地上の鉱場には、坑内に人や石炭を運ぶ立坑や換気立坑の櫓、選炭場、貯炭場、積み出し桟橋、諸施設の工作場、資材置き場などの他、端島礦の事務所なども島の南東半分の平地に所狭しと立ち並んでいた。

［1970］島最高部の3号棟から望む第2立坑の櫓。ここが地下深くの炭層につながる入口であり、人も石炭もこの立坑からエレベーターで出入りする。630mの地底まで高速降下するエレベーターは毎日のことでも怖かったらしい。左下は選炭機械。その奥には坑木用の丸太が山積みされている。

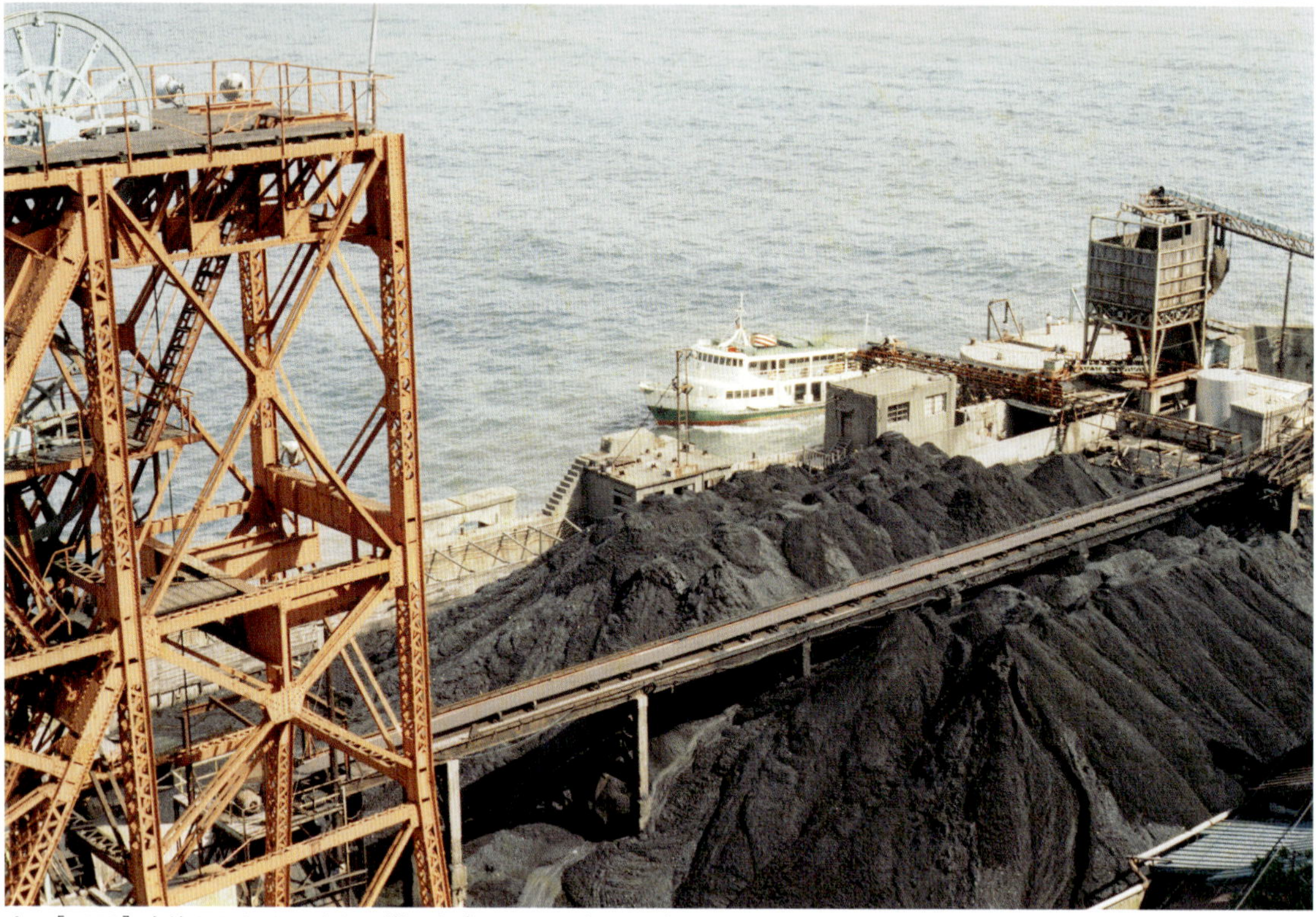

上：[1970] 立坑から上がってきた石炭はまずここでさまざまな選炭機にかけられる。石炭とならないものはボタとして捨てられるが、ボタは坑道の採炭後の埋め戻しや埋め立てにも使われる。

下：[1970] 貯炭場付近。その先にドルフィン桟橋を長崎に向けて出航したばかりの旅客船が見える。左手は第4立坑の櫓。

次頁：[1970] 貯炭場の石炭はベルトコンベヤで積み込み桟橋に。手前は第4立坑櫓。この櫓は、主に削岩機用の圧縮空気や坑内の換気の出入口となっている。

上：［1970］石炭は積込桟橋から運搬船に積み込まれる。ドルフィン桟橋から。
下：［1970］ 手前は圧縮機室や建築会社の飯場、資材倉庫などの鉱場。緑の屋根は体育館。その奥の7階建ては学校。その手前には鉱員たちの趣味の釣り船が多数並べてある。

端島銀座と山の道

［1952］南部商店街から南へ30号棟を見る。この時期は木造商店が並び、文具、醤油味噌などの看板が見える。つき当たりの越屋根のある木造は共同浴場。

島の北西半分を占める住居地域には低地の南西端の30号棟から北東端の病院を結ぶ商店街のある街路（南西から順に南部商店街、端島銀座、塩降街と呼ばれる）と、岩山の尾根付近を30号棟から65号棟の屋上をつなぐ山の道、さらに岩山の東の中腹に村道や山道と呼ばれた通路が並行して走っている。あらゆる建物や施設はこれらと屋内外の階段やスロープ、廊下、連絡橋、屋上などによって立体的に結ばれており、高層住宅が多いのに建築エレベーターは1基もないが、特に不自由はない。すべての施設がきわめてコンパクトに密集しているためこのくらいは歩かないと……といった程度である。商店は会社の直営店、島に居住する個人商店、島外から船で通ってくる露天商などさまざまである。その他、鉱員が入出鉱する立坑や職員が務める事務所も、船の利用者が通るトンネルの出入り口も30号棟の隣にあり、30号棟1階の支払い窓口で奥さんが賃金を受け取って買い物をする。役場、郵便、警察、映画館、共同浴場、そして病院など公的施設もこの30号棟から始まる端島銀座沿いに集中しており、島民の一日の行動はこの街路を中心に展開されている。

中島屋
婦人雑誌

上右：[1970] 端島銀座を北東向きに見る。左は48号棟、右は日給社宅。商店は、RC建物の1階や半地下、木造、屋台などさまざま。日給社宅の半地下1階に厚生食堂が見える。
上左：[1970] 地獄段と16号棟1階の商店。この日は波が高く、島外から魚や野菜を売りに来る行商の露天市も休みで人出が少ない。昔は小舟で野菜を売りに来た周辺農家の人が帰りには肥料にするため糞便を持ち帰ったそうである。
下：[1970] 端島銀座は地獄段と呼ばれる正面の階段にぶつかって左につながる。道の両側のひさし部分が商店。階段は建物のすき間を登って神社に通じる。祭りの時には神輿がこの階段を勇壮に駆け下りる。左は59号棟、正面が57号棟、右が日給社宅の16号棟。

前頁：[1952] 木造の商店が並ぶ南部商店街。これらは元遊郭であったというが、その後台風被害で滅失、その跡にRCの31号棟が建てられた。右上のRCは25号棟。

上：[1970] 57号棟1階の商店街。奥は地獄段。ちょうどリヤカーが桟橋から商店へ商品を運んできたところ。
下：[1970] 57号棟と65号棟の間に木造のマーケットがある。

上：［1970］商店街の北の端は塩降街と呼ばれる。左手の59-66号棟のRCアパートを乗りこえて波が降りかかるからである。右手57号棟1階の商店。狭い島内なので自転車はない。自動車も2台のオート三輪だけだったらしい。まったくの歩行者天国である。

下：［1970］65号棟の屋上から南に村道を望む。村道は65号棟から30号棟につながっている。左に第4立坑の櫓や貯炭場などの鉱場、右は岩山の急斜面。右手の階段を登ると65号棟や56号棟の上階につながっている。正面は「緑なき島」と言われた島内の緑化のために何ヶ所かに設けられた温室やプランター。海上はるかに野母崎半島。

住宅

端島の住宅は当初は低層の木造であったが、台風被害に備えると同時に、住宅戸数を増やすための高層化を目的として大正期以降RC高層アパートに建て替えられていった。1970年には高地の職員住宅を除くとほとんどRC化されていた。土地・建物とも全て会社の所有であり、また限られた空間での極限的な密度、高波などの苛酷な自然条件など住宅は特異な厳しい状況に置かれていた。単身者と家族持ち等の違いはあるが、広さ、構造、老朽度、設備、立地場所（高所、高層階の方が良い）などの住宅格差は、基本的に鉱長社宅を頂点とする幹部職員、職員、公務員、鉱員、下請け労務者の職階構成を明快に反映したものであった。また、高層住宅が多いにもかかわらずエレベーターは全く設置されなかったが、各住棟はさまざまな連絡通路で結ばれており、狭い生活圏では徒歩が苦痛になることもなかった。一方、家賃はほとんど無料、光水熱費もきわめて安く、住居費の不満はないが、住宅要求は切実であり、戦後の労働組合でも最も優先度が高く、入島歴、家族数を考慮した住宅点数制度が導入され、労使による社宅運営委員会で審査されていた。1960年代後半から人口が減ってくると、2戸を1戸にするとか、家族用を単身者にも開放するなどの改善も進められた。

[1952] 右手が30号棟。隅の小さい高窓部分は共同便所。正面奥のRC5階建は25号棟。正面手前の木造平屋は共同浴場。共同浴場はみんなの集まる場所だけに、「ガス、炭塵爆発防止、絶えず撓まぬ安全操作、心の備え身の護り」の標語看板が。その左手に南部商店街が続く。

30号棟（グラバーハウス）

１９１６年（大正５年）建築の日本で最古のＲＣ高層アパートとして有名である。長崎の名所グラバー邸の主人と関わりのある人が設計した説があり、グラバーハウスと呼ばれる。住宅建築用ＲＣ技術は未発達のため、アメリカの技術も参考にしたとも言われるが、鉱山の土木技術を応用したようで、ワイヤーやトロッコレールなどの廃材も鉄筋として用いられている。ＲＣのロの字型の構造体の内部に木造住宅をはめこんだもので、居室の床は高く入口の土間とは段差があり、界壁も竹小舞の土壁であった。雨水、廃水や便の処理が不適切で、雨漏りや、特に下層階では湿気、悪臭の問題が生じていた。7階建てで、6畳一間の１Ｋが１４５戸、中庭の周りを取りまいている。当初は坑内鉱員住宅として、その後には「組」と呼ばれる下請け労務者住宅として、あるいは隣接する２戸を１世帯で利用したり、空室を単身者のためのまかない食堂として利用していた。西山の調査の時点でも老朽化が著しかったが、２０１４年現在では建築学会の調査によるとすでにいつ倒壊してもおかしくない大破状態にある。

[1970] 30号棟の東面。2階(実質1階)の一角に給与支払い窓口がある。職員は月給だが鉱員は働いた日ごとの日払いもしくは日給月給であった。屋上にはテレビアンテナが林立している。

前頁上：[1952] 41頁の写真のクローズアップ。右手が30号棟の西面、窓手すりや物干し台は木製。正面奥は25号棟、手前は共同浴場。
前頁下：[1970] 30号棟の東面を見上げる。四面とも外壁に沿って多数の住戸を並べるため一戸あたりの窓幅はきわめて狭い。下層階は居住環境が悪く、窓をみても生活感はないため空室かもしれない。1970年には下請け労務者の住宅となっていたが、2戸を1戸にするなどの改善もされていた。

上：［1970］30号棟内部の中庭を屋上から東側を見下ろしたところ。上階の廊下はベランダの役も果たすが下層階には陽もささず、湿気と臭気がひどい。
下：［1970］30号棟内部の中庭を屋上から南側を見下ろしたところ。各階に内部階段があり、らせん状に昇降する。

[1970] 30号棟内部の中庭から屋上を見上げたところ。陽が差し込むのは4階以上で、下層階は一日中電灯が必要。

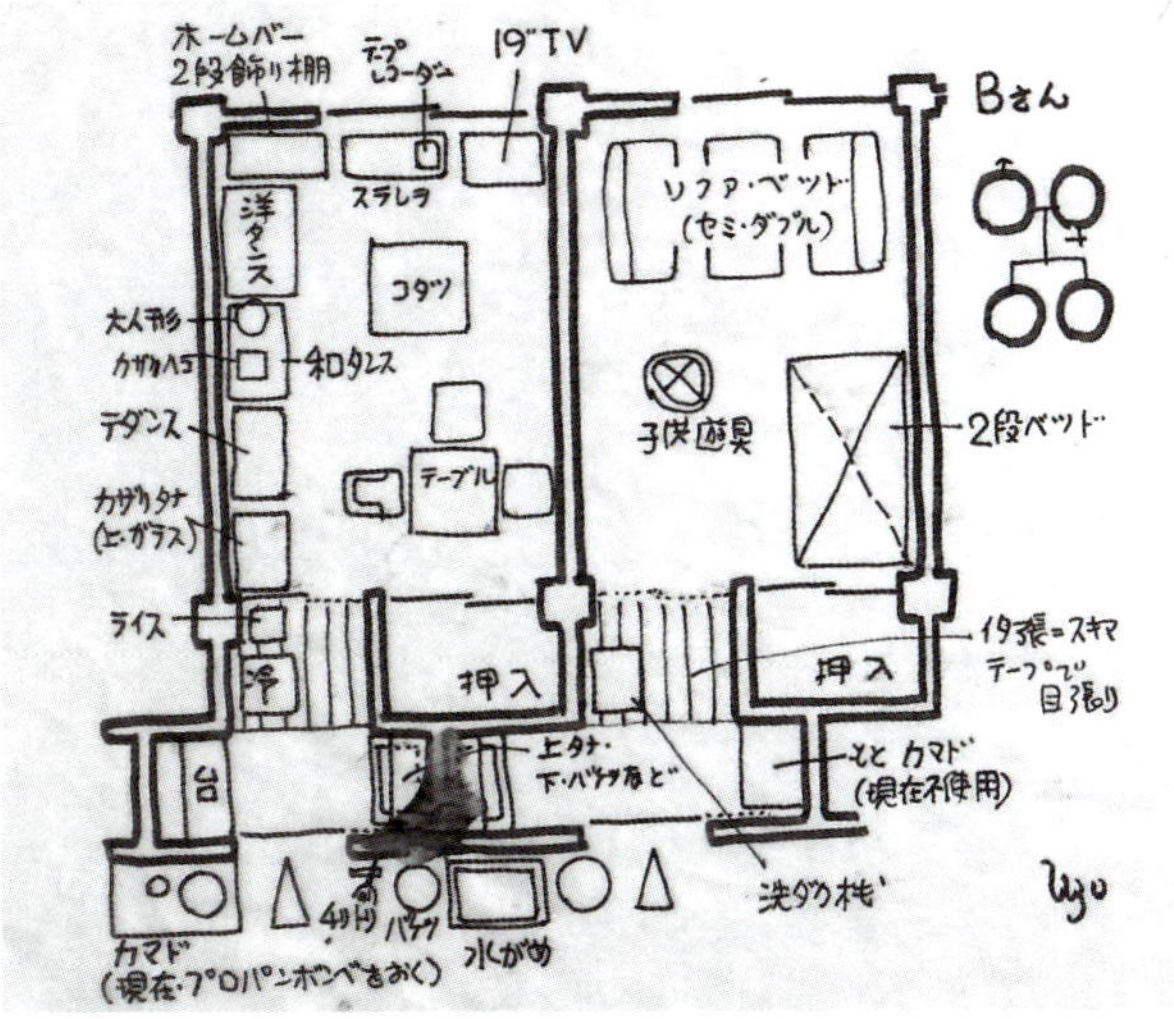

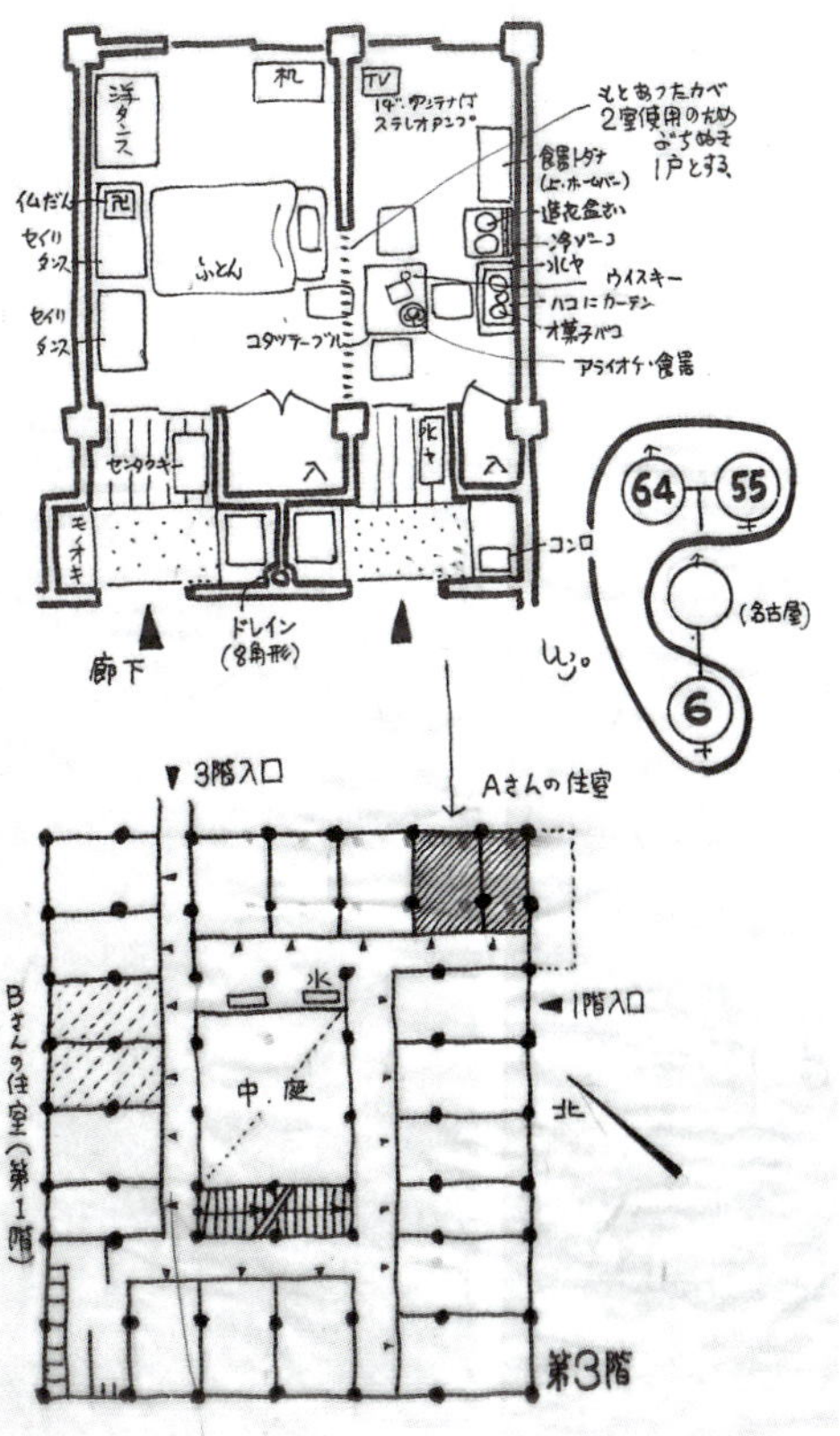

右：[1970] 30号棟3階の住戸配置と住戸その1の間取り。6畳一間と4畳一間の2戸の界壁の一部を抜いて1戸にしている。64歳と55歳の夫婦と、6歳の孫娘の3人暮らし。孫の父親は名古屋にいる。

左：[1970] 30号棟1階の住戸その2の間取り。ここも6畳一間の住戸を界壁を残したまま2戸続けて家族4人で使用している。右側は全員の寝室、左側は家族みんなの居間、食事室としている公私室分離型。3年前に入居したばかりなので最も居住条件の悪い30号棟の1階の北向きの部屋。それでも洋風の家具や家電が揃っている。夫婦に子どもが2人でき狭くなったので移転するという。いずれにしても、これらは過密居住が緩和され、2室をあわせて1住戸にしたものである。以前は1室に何人もの労働者が雑魚寝していた。

上：[1970] 30号棟の廊下。各階への通路でもあり、かなり幅はあり、狭い住戸からさまざまなものがはみ出ている。入口前のコンクリート台は水道がひかれる以前の貯水槽。それでも子どもたちの身なりはこぎれいにみえる。

下：[1970] 30号棟屋上と中庭の手すり。そのまわりに並ぶコンクリートの短柱は各住戸のカマドの集合煙突。すでにプロパンガスが普及しており使われていない。屋上への階段出口には屋根がなく雨は下階に流れ込む。正面は岩山頂の貯水タンク、その左は木造の職員クラブハウス。その下は右から第二立坑の櫓、26号棟（プレハブ社宅）、25号棟。

16-20号棟（日給社宅）

［1952］端島銀座沿いに並ぶ日給社宅の北西面の連絡大廊下（当初は木製手すりの開放廊下であったが、西山が訪問した時には手すりが腰壁に改修）。半地下の1階に厚生食堂がある。

30号棟に続いて1918年（大正7年）に16・17・18号棟が6階建てで作られ、まもなく9階建て（一部10階）に増築された。続いて1932年（昭和7年）にかけて19・20号棟まで拡張され、5棟が櫛の歯状に連絡廊下で連結される241戸の大規模RC高層鉱員住宅となる。当初、職員は月給だったが鉱員は日給制度であったため日給社宅と呼ばれる。坑内労働者を対象とする一室だけの30号棟とは違って坑外労働者の2Kの間取りであった。1階部分は高波で流れ込んだ海水のはけ場として半地下の防潮階とされ、戦中は最も劣悪な環境のタコ部屋、戦後は商店等に利用された。こうした防潮階は他の建物でも見られる。18号棟は2014年現在、すでに大破状態にある。

上右：[1952] 日給住宅の各棟の東の端は岩山に接して、山側の通路となっており、梁が岩山に設けられた基礎に繋がれている。この時点でも岩山側の通路のRCの柱や梁の鉄筋は錆びてコンクリートがはがれ露出している。
上左：[1970] 17号と18号棟の中庭から山側の階段と通路を見る。右は18号棟のベランダ。鉄は錆びるため手すりなどは木製。
下左：[1970] 北端の16号棟と17号棟の間の中庭空間。山側から海側を見る。正面は大連絡廊下。左側はベランダ。右側は廊下。子細に見ると上階ほどベランダがセットバックしてわずかでも採光を確保しようとしているが、下階はうす暗い。

［1970］同じく17号と18号棟の間を山側の連絡橋から見る。青い窓の部分は海側の大連絡廊下。左側はベランダ。右側は廊下。

上右：[1970] 18号と19号棟の間の中庭から海側を見る。1階は半地下の防潮階で、居住性が悪いため店舗や倉庫となっている。1階の通路を抜けると端島銀座。
上左：[1970] 19号と20号棟の間の中庭から19号棟の廊下部分の山側を見上げる。19号棟は岩山にめり込むように建てられ、奥の方は3階分しかない。
下：[1952] 18号と19号棟の間を山側から見る。正面には海面が光っている。

次頁：[1970] 18号と19号棟の間の中庭から山側を見上げる。

[1970] 神社から西を見た日給社宅の屋上。右より16・17・18・19号棟。日本でも最初期の屋上緑化の例。「緑なき島」と言われた島の子どもたちに緑に触れさせたいとの思いから、島外から船で土を運び、子どもも総出で屋上まで運びあげて作ったもの。野菜の収穫祭があったり田んぼでコメも作ったという。カマドの煙突も見える。その先は51号棟の屋上。

上右：[1970] 端島銀座から南を見る。正面は20号棟。左端は19号棟のダストシュート。右手奥に2階の生協売店、その奥の5階建ては21号棟。
上左：[1952] 日給社宅の土間の台所。カマド、七輪、手前は水ガメ。およそ高層住宅の台所とは思えないが、その後は水道やプロパン、家電が普及する。
中：[1970] 日給社宅の廊下。右側には他の炭鉱住宅の長屋と同じような木造住戸が並ぶ。左わきにはコンクリートの水槽、金ダライ、洗濯板が見えるが、この時期には水道はもちろん洗濯機がほぼ普及していたし、生活感がないので、この廊下沿いは空家かもしれない。
下：[1970] 赤い屋根は19号棟の屋上の弓道場、的は屋上のもう一方の端の土塁にある。はずれ矢はやや危険な気がする。狭い島の中でも工夫して余暇を楽しんでいた。その奥は中央社宅と呼ばれた職員社宅14号棟。左手前から職員住宅の2号棟、白い壁は幹部職員用の3号棟。さまざまな高さの地盤に建つさまざまな高さのアパートが空中回廊や階段で結ばれている。

前頁：[1970] 地獄段から16号棟の北側面を見る。1階の防潮階は商店。右奥に岸壁ごしに海を見る。

［1952］65号棟の北棟（正面）と東棟（左）を中庭から見上げる。北棟ベランダ下には縞模様の防空用擬装塗装のあとが残っている。

65号棟（報国寮）

65号棟はコの字型をしているが、終戦直前の1944年からまず北棟から建設が始まり1945年に完成し「報国寮」と呼ばれた。戦争末期にこれだけ大規模な集合住宅が建設されたことからも、戦争遂行のために石炭増産がいかに重視されていたかが分かる。戦後の1949年に東棟、1958年に南棟が建設され、9階一部10階の全体で2Kの住戸が317戸と巨大な高層住宅となった。全体が完成するまでに10年以上の年月がかかったため、初期の古いものと新しい住戸ではかなり違いがある。1階には歯科医院、美容理容室その他の商店があり、屋上には幼稚園（保育所）が設けられた。コの字型の配置の中庭には、以前は木造炭鉱長屋が並んでいたが撤去されて島最大の端島公園となった。日給住宅と比べると住棟間隔は十分広く、廊下の両側に住戸が並ぶ中廊下式で間口が広く6畳二間が横に並ぶ2Kの間取りであったが、廊下側は暗く、換気も十分とは言えない。2014年には65号棟の一部もすでに大破状態にある。

上：[1952] 65号棟の中庭には木造2階長屋の社宅が並んでいた。左手前の越屋根のある木造は共同浴場。正面は北棟。左手奥は66号棟啓明寮と67号棟鉱員合宿。
下右：[1952] 65号棟の中庭にあった木造2階長屋の鉱員社宅。
下左：[1952] 正面は北棟。右の東棟の手前には南棟増築用の梁型が見える。

［1970］中庭の木造社宅も撤去され、右手の南棟もできてコの字型配置の300戸を超える巨大集合住宅が完成し、中庭は島内最大の町立端島公園となって遊具が並んでいる。

次頁左上：［1970］端島公園と65号棟。日本中が交通戦争で多くの子どもたちが犠牲になっていた時期に、クルマのない軍艦島は子ども天国でもあった。
次頁左下：［1970］65号棟の東棟の東南面。右は学校の体育館。30号棟や日給住宅に比べて間口が広く、全面ガラス窓のベランダ側は明るい。

町立
はしま

上：[1970] 65号棟の南棟の南面。トタン波板の平屋はマーケット。56号棟から見下ろす。
下：[1952] 65号棟の東棟の比較的陽当りの良い学校側の部屋の室内。 単身者の相部屋のようである。

上：[1970] 65号棟の南東の鉱員住宅室内その1。6畳二間を見通す。右側がベランダ。
下：[1970] 65号棟の住宅室内その1。6畳の間。婚礼家具のような立派な家具が並んでいる。

寿

上：[1970] 65号棟の住宅室内その1。6畳二間を逆から見通す。
下：[1970] 65号棟の住宅その1。台所。土間に床板が張られ、水道、プロパンガスコンロ、炊飯器が揃っている。古くさい台所をなんとか小ぎれいなキッチンにしようという工夫が見られる。

前頁：[1970] 65号棟の住宅室内その1。玄関の板の間から6畳の間を見通す。ここに冷蔵庫と米びつが置かれている。

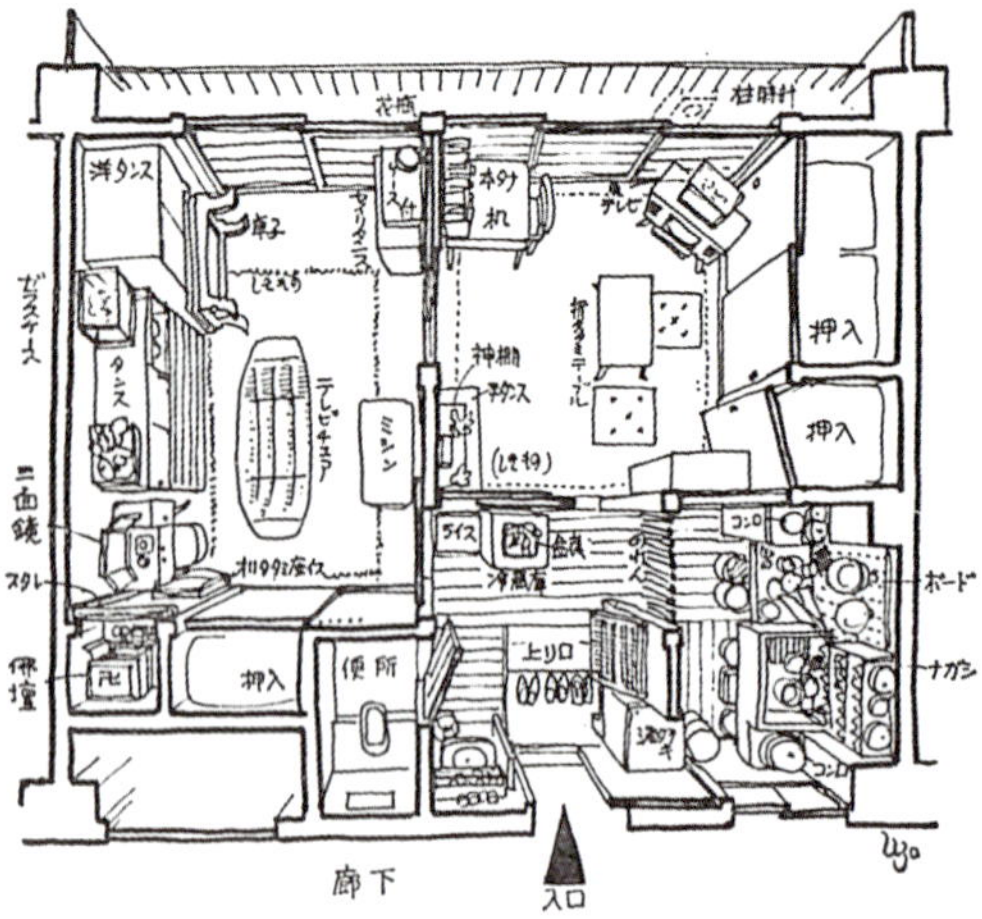

上：[1970] 65号棟の住宅その1。玄関。手回し絞り機つき洗濯機が置いてある。右手の洗面台の奥にトイレがある。廊下は中廊下なので暗く、昼間も電灯が必要。
下：[1970] 65号棟の南棟の住居室内その1。俯瞰平面図。65号棟の中では最も新しい棟であり、水道が完備されてから増築された10階の最新の6＋4.5畳の2Kで、専用トイレが完備している。テレビ、冷蔵庫、洗濯機の三種の神器などの家電、家具もそろいモノがあふれている。

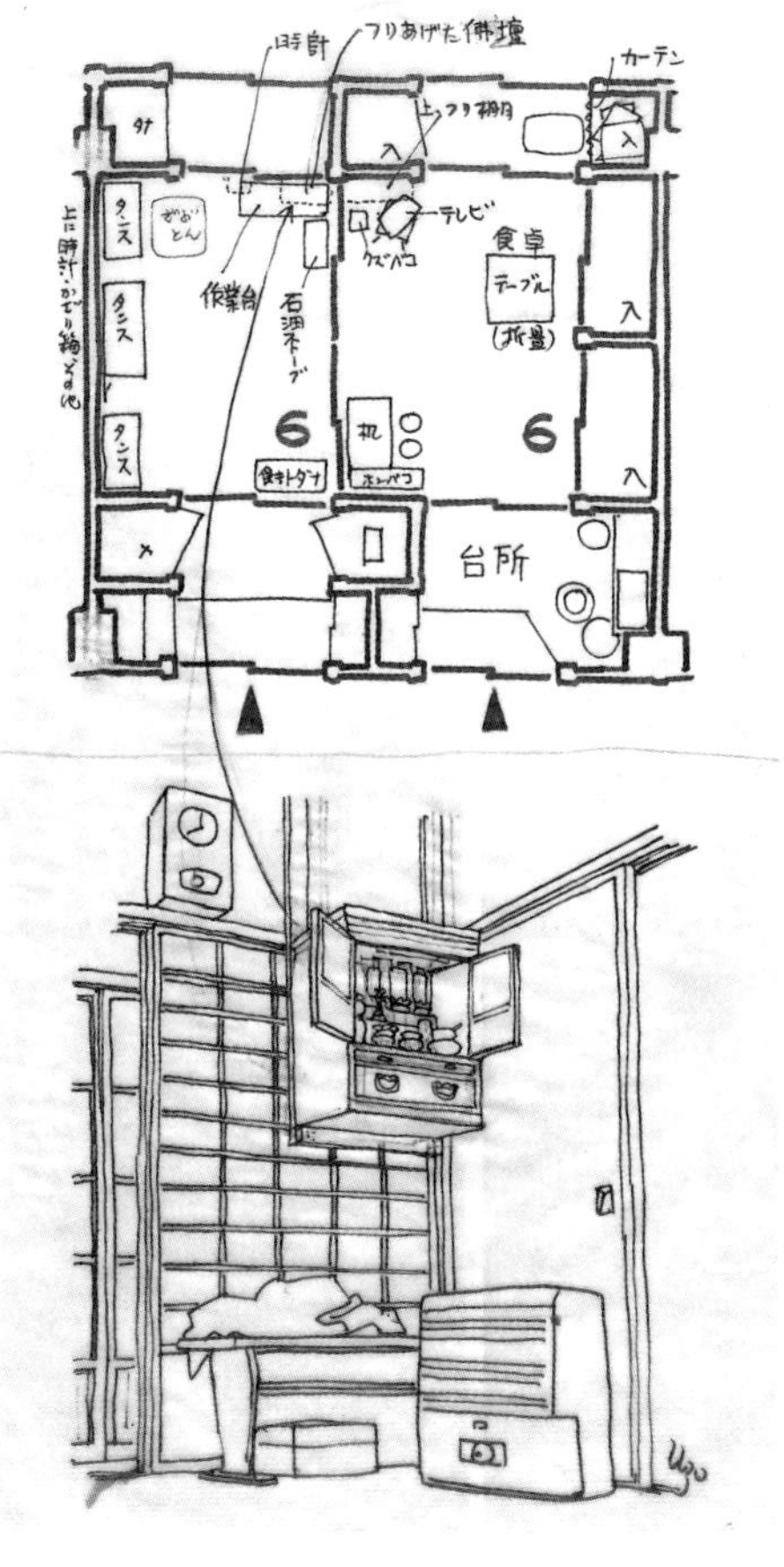

上：[1970] 65号棟の古い棟の住宅室内その2。その1に比べると家具も少なくやや簡素な部屋になっている。
下：[1970] 写真の住戸の平面図。6畳二間と台所の2Kであるが、モノが増えてきたため仏壇を吊り下げている。

上：[1970] 65号棟の9階住宅室内その3。洋風室内。押し入れを取り払ってステレオコーナーとした応接室風の居間。居室内を見ているかぎりは炭鉱住宅の一室とは見えない。
下：[1970] 65号棟の住宅室内その3。寝室の洋風室内。カーテンで古くさい内装を隠している。

［1970］65号棟の住宅室内その3。台所。モダンな居室とは不似合いな古めかしいモルタルの流しとカマドに、電気炊飯器、ガスコンロが見える。棚にも飾りをつけて古くささを隠しているが……。

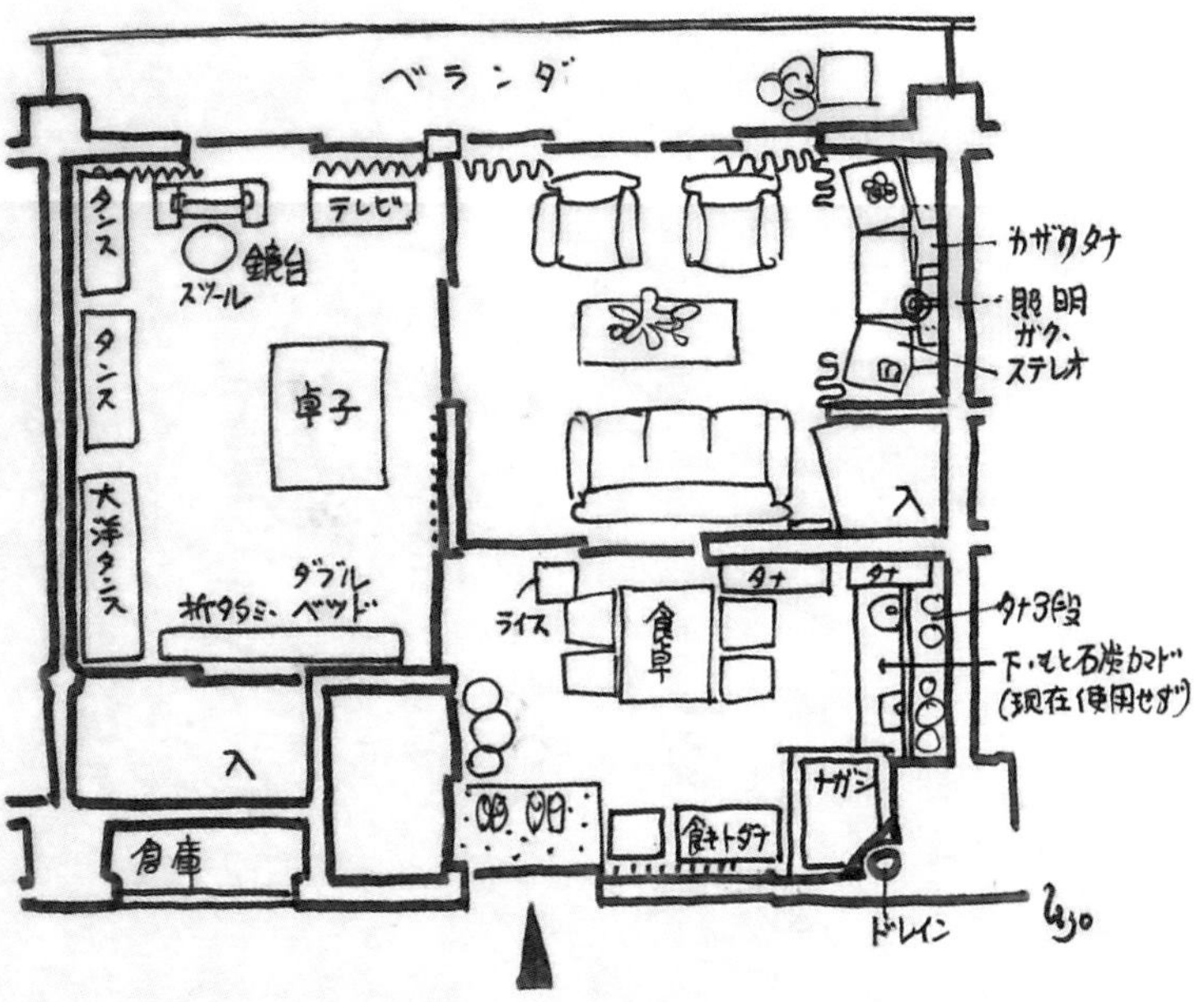

［1970］写真の住戸の平面図。6畳二間とDK。折りたたみのダブルベッドにソファセット、豪華なテレビに鏡台、ステレオ、ダイニングテーブルなど洋風インテリアで統一しているが、便所は共同。

上：[1952] 65号棟の中廊下。玄関前に水ガメ（水道がなかった）、洗面器、七輪が並んでいる。上部には消火用の手桶が並べられている。超高密の軍艦島では台風とともに火災が最も怖い。
下：[1970] 65号棟の中廊下で遊ぶ子供たち。空き地の少ない軍艦島では廊下も貴重な遊び場。みんな三輪車は買ってもらえても、遊び場は買ってもらえない。この時には水道が普及して水ガメや消火桶は姿を消している。

上：[1970] 65号棟の共同洗濯場。洗濯機の普及でここを利用する人も減っているようだ。
下：[1970] 65号棟の各階の曲がり角に設けられた共同便所。大便所はそれぞれ利用する世帯が決まっていて、掃除も分担したらしい。後にはしだいに内便所も増えていった。

その他のRC住宅

端島ではRC造の高層住宅が多いが、3・4階程度の中層でも台風の波風の被害や火災を防ぐため、RC造のものが見られる。

［1970］1957年建築の鉱員社宅31号棟の山側。1952年訪問当時は、ここには、木造の炭鉱住宅や南部商店街があったが、台風や火災の被害を受け、RC 6階建ての鉱員アパートに建て替えられた。1階に郵便局、地下に共同浴場があり、2階部分にはボタ運搬のコンベヤが貫通する不思議な建物。右は25号棟。

上：［1970］1953年建築のRC５階建ての22号棟の廊下。この2階が町役場端島支所、1階が老人クラブになっている。3〜5階はカモメ荘と呼ばれる公務員住宅。
下：［1952］ 正面の崖面に建つ1931年建築のRC５階建て25号棟。4・5階だけが見えている。その2階に宿泊所、スナック「白水苑」、旅館「清風荘」を含む職員住宅。防空擬装のペンキのあとが残っている。手前は木造商店。右奥は30号棟。

上：[1970] 1950年に建設された、正面から見るとX型の階段が特徴的な67号棟、上下の移動と左右の移動を可能にする工夫らしい。合宿と呼ばれるRC 4階の単身寮であるが、個室ではなく、大部屋に「合宿」生活である。
下：[1952] 1939年建築のRC 4階の職員社宅、57号棟の端島銀座側。1階のピロティからはさしかけがあり、木造長屋のようになっている。1970年にはこれらは商店となっていた。現在は大破状態。奥に見えるRCは65号棟。

その他の木造住宅

1916年に30号棟ができるまでは、端島の鉱員住宅は他の炭鉱住宅と同じように平屋や2階建ての木造長屋がほとんどであった。しかし、それでは必要な労働力を収容するには無理があったし、火災、そして何よりも台風によってたびたび被害を受けたため、次々とRC高層のアパートに建て替えられていった。一方職員住宅は、邸宅ともいうべき鉱長社宅をはじめ島中央の高台に建てられた木造住宅が中心であった。ただし、3号棟は幹部用職員社宅として1959年に建てられた3DK20戸のRC5階建て。小さいが内風呂も完備され、都会のマンションと変わらぬ居住性が確保されていた。

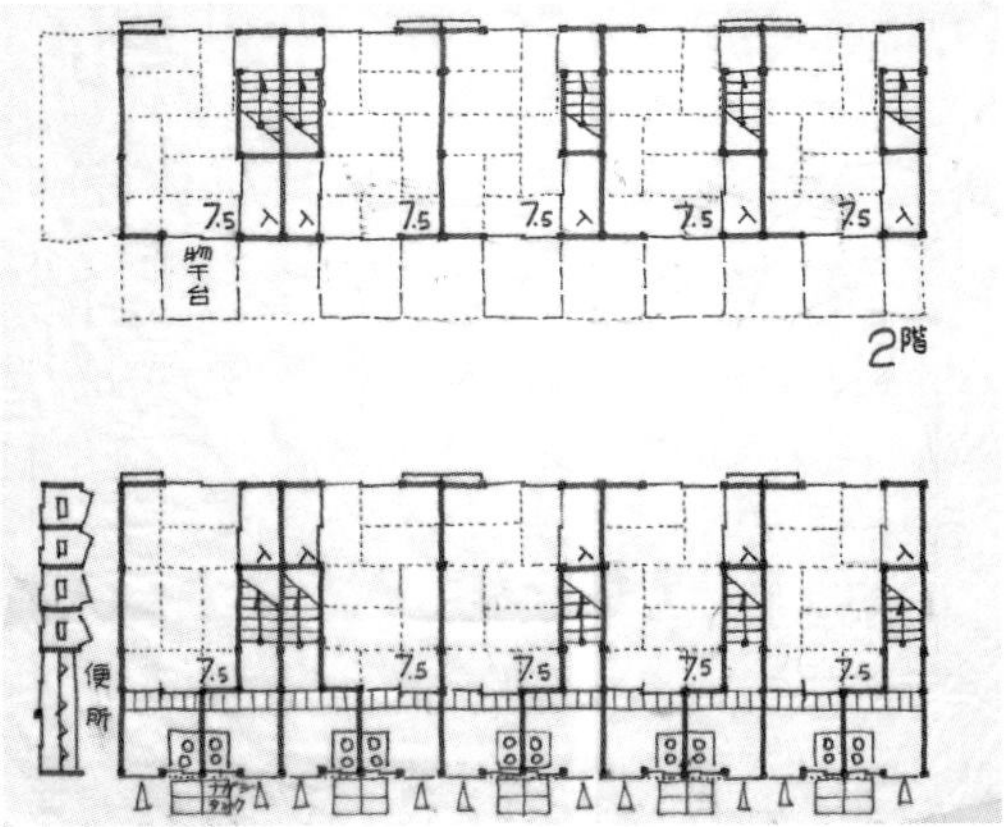

上：[1952] 島南西部の「組」と呼ばれた下請け労務者の木造2階建長屋の炭鉱住宅。正確には上下階が別住戸の重ね建て。右手のガラス戸は2階住戸への入口。その前にコンクリートの貯水槽が見える。

下：[1952] 写真と同じ住宅の40号棟の平面図。木造2階建て、上下とも7.5畳1間で何人かが雑居と思われる。各戸にカマド、流し、水槽があるが、便所、浴室は室外に共用。島の南西端の防波堤に隠れるように40、41号棟の2棟が並んでいたが、大波の被害により1970年には消失している。

上：[1952] 南部商店街の木造3階建て、1階は小料理屋。このあたりは以前は遊郭だったらしい。石垣の上の木造は職員社宅の9号棟。
下：[1952] 西から見上げた24号棟、急斜面に建つ木造3階の職員住宅。その後火災で焼失。

前頁：[1952] 島南西部の昭和館裏あたりの低地にあった木造2階重ね建ての社宅。つき当たりに見える防波堤の陰に45 ～ 49号の5棟が並んでいた。1970時には撤去され、39号棟の公民館と48号棟の5階建て鉱員アパートのRC建物に建て替えられている。
下：[1952] 写真と同じ住宅の47号棟の平面図。木造2階建て、上下とも6畳一間の1Kで、各戸の下屋にカマドと流しのある2畳の土間台所がある。家族連れの場合はかなり狭い。また、高波の時は相当恐ろしいことになりそうである。

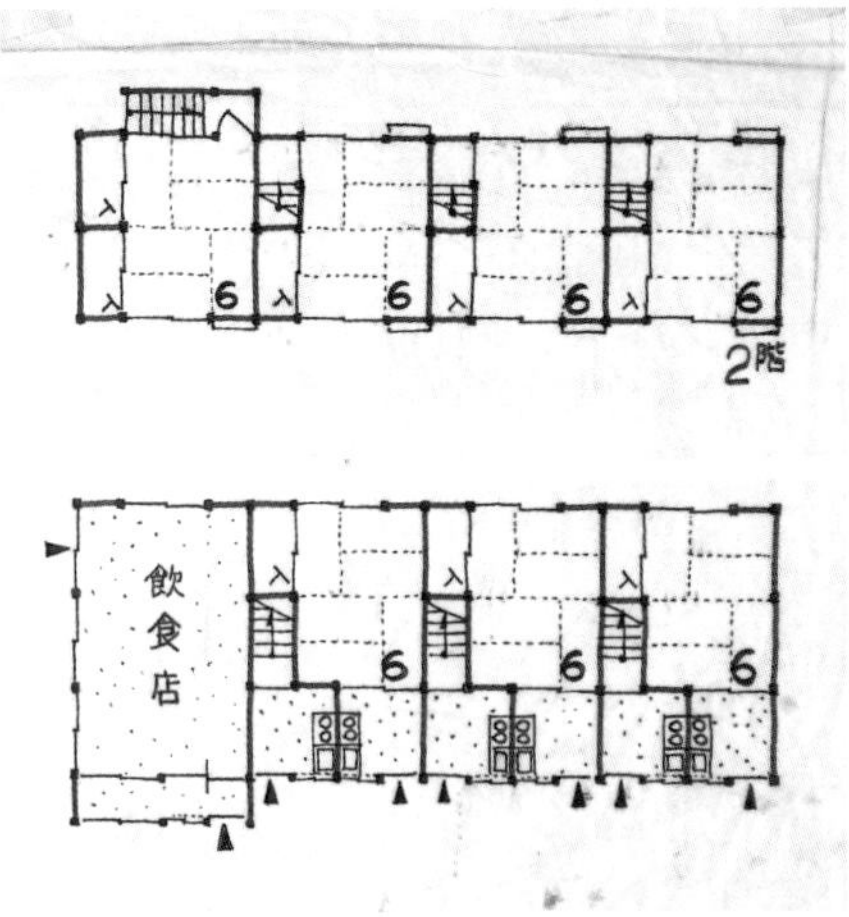

上：[1970] 正面の木造2階は職員住宅の11号棟。これもその後焼失。左下はお寺の赤い屋根。奥のRC 5階建ては2階に役場のある公務員住宅22号棟。海上に高島がかすんでいる。
下：[1970] 3号棟から岩山の尾根筋に沿って南西を望む。中央の赤い屋根は木造2階職員合宿、6号棟。その奥の木造3階建ては職員用クラブハウス7号棟。右手は職員住宅、8号棟。左手奥は貯水タンク。このように職員用の住宅は高波の被害の少ない岩山の上部に木造で建設されている。

前頁：[1970] 30号棟から見下ろす。以前40、41号棟の木造長屋があった南西部低地の工作課工場横の下請け組員用の2階建てプレハブ飯場。このあたりは波をもろに受ける。さすがに屋根は補強しているが台風時は相当恐ろしい。

住宅間取りの階層構成［1970］

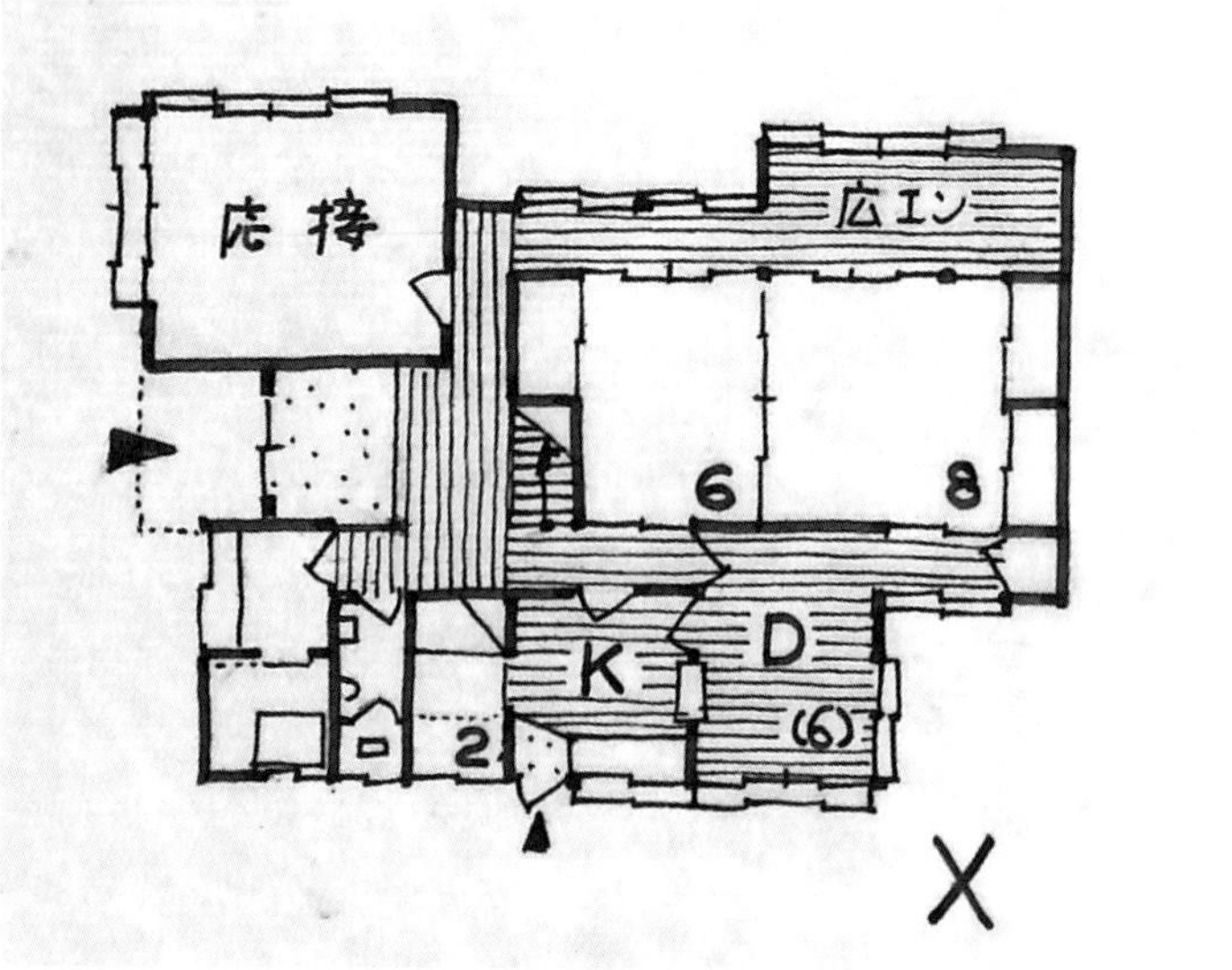

5号棟鉱長社宅。1959年建築の木造2階の戸建て。この他に2階に2畳、8畳、6畳のある5DKで島で当初から内風呂を備えた唯一の邸宅である。岩山の最頂部にあり、素晴らしい景観と日当たり、通風が確保され、大波のしぶきを浴びることも少ない。あらゆる面で住宅階層構成の頂点にある。

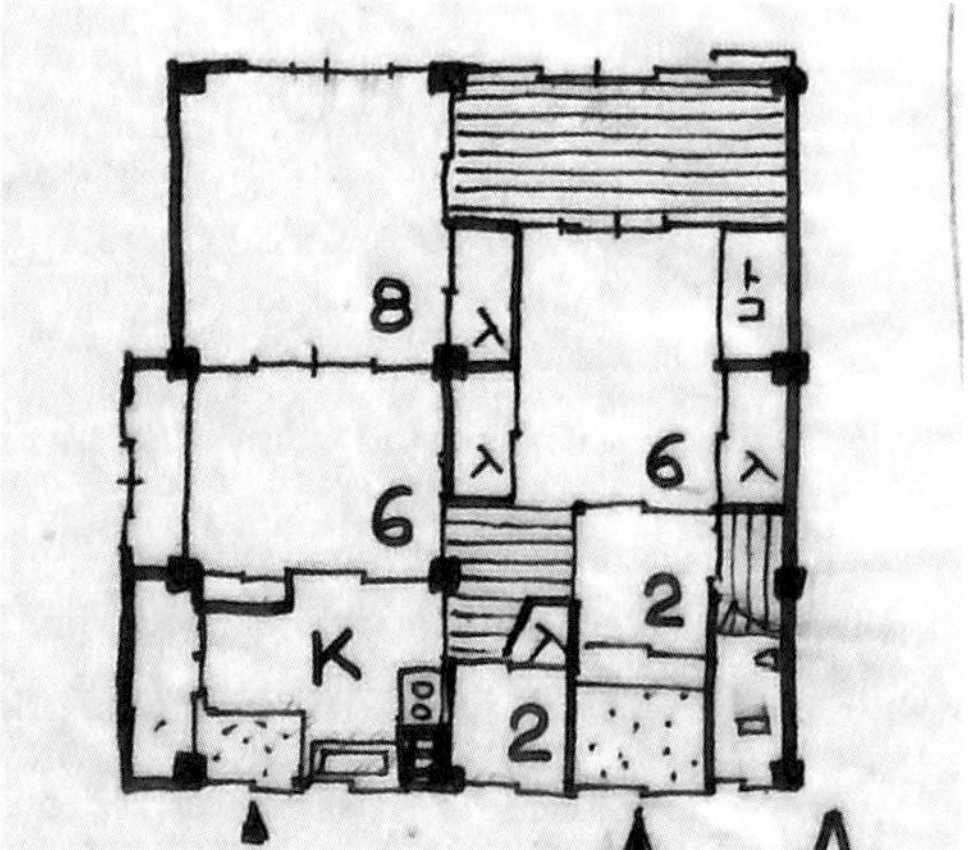

56号棟。1939年建築のRC3階建ての職員住宅で、3K＋広縁の間取りが6戸。広縁は東向き。岩山の斜面にあり、日当たり、通風はまずまず。波の被害も少ない。

会社提供の図面資料から整理した主な間取りタイプを比較したもの。隣戸と左右対象の間取りの場合は同じタイプとした。広さ、設備、居住性など格差はかなり大きく、広さだけでも10数倍の差がある。それは島における職階制度のピラミッドを反映したものであった。

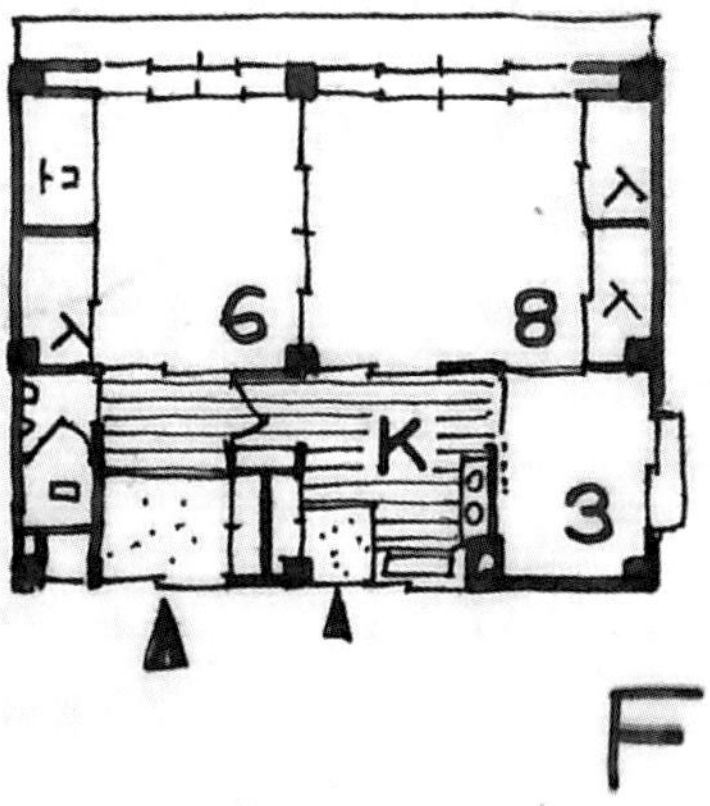

14号棟。1941年建築のRC 5階建ての職員住宅で、8畳、6畳、3畳の3Kの間取りが15戸。

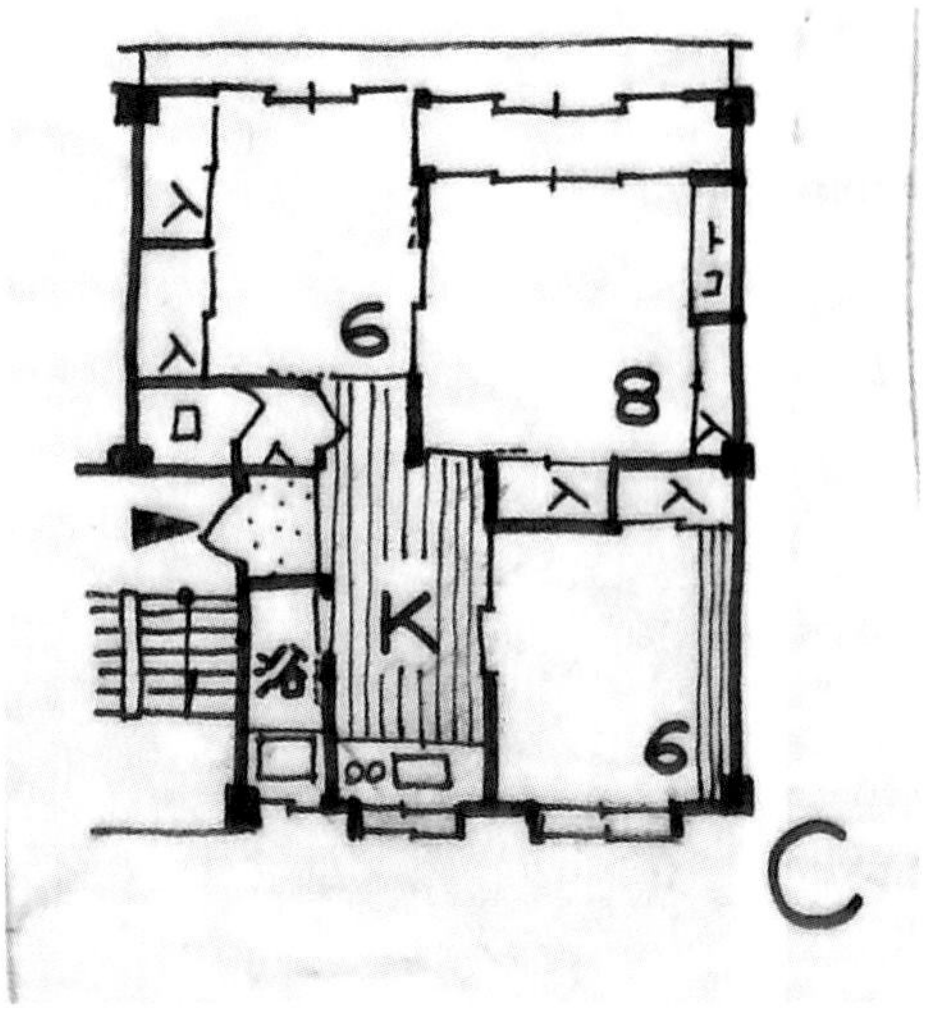

3号棟。1959年建築のRC 4階建ての幹部職員住宅で、3Kの間取りが20戸。集合住宅で唯一内風呂を備える高級社宅であった。当時としては都会のマンションと何ら遜色ない。岩山の尾根の上に南面して建ち、素晴らしい眺望を持つ。

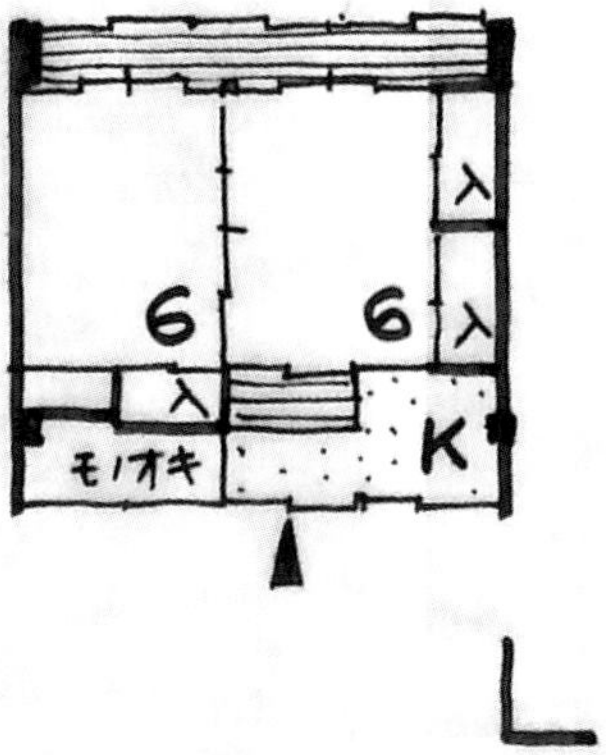

65号棟の典型的な家族用鉱員住宅。6畳2部屋と土間の台所の2K。トイレ、風呂は共同。RC 9階建ての島最大の集合住宅のうちの122戸がこの間取り。

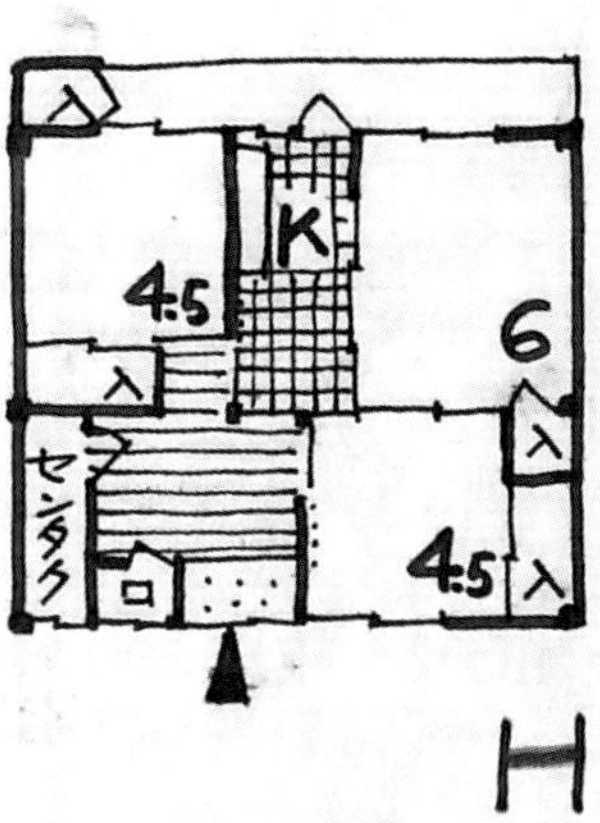

13号棟。RC 4階建ての公務員住宅で、教員宿舎として利用されていた。3Kの間取りが12戸。

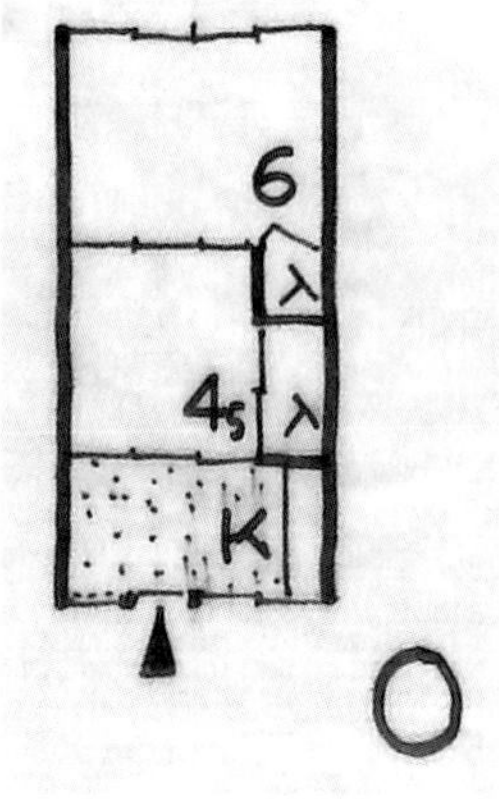

Nと同じく日給社宅の17、18、19号棟のうち45戸がこの間取り。6畳、4.5畳の2部屋と入口を兼ねた土間台所の2K。トイレ、風呂は共同。

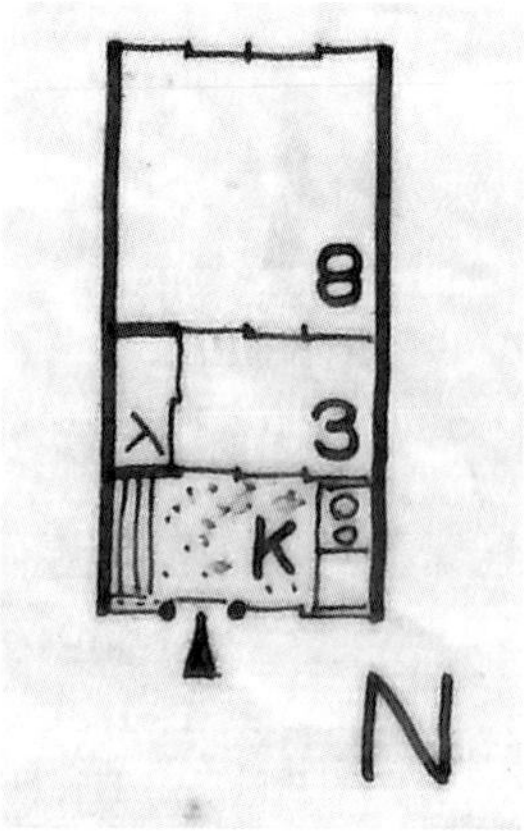

RC 9階の日給社宅の17、18、19号棟のうち80戸の鉱員住宅がこの間取り。8畳、3畳の2部屋と入口を兼ねた土間台所の2K。トイレ、風呂は共同。

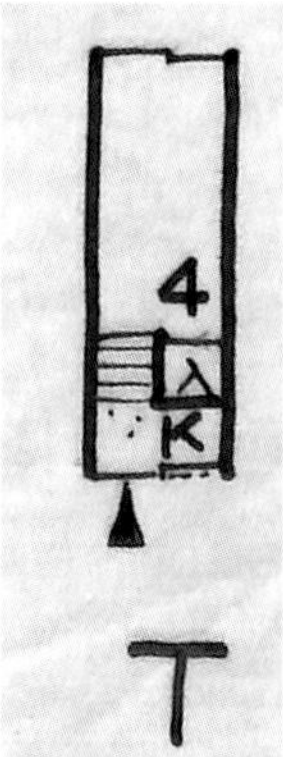

19、30、65号棟というRC 7- 9階建ての鉱員住宅のいくつもの住棟に288戸あった独身者用鉱員住宅(居住条件の悪い古いものは下請け飯場とされた)。4畳1間に1畳の入口兼用の台所だけの極小住戸。こうした住宅は下層階の日当たりや通風の悪い、湿気と悪臭のひどいものが多かった。機械化、合理化が進んで島の人口が減り、単身者より家族持ち労働者が増えるにしたがい、こうした狭い住宅は2戸を1戸に改造したり、より広い家族向け住戸を単身者に開放する改善も進められた。

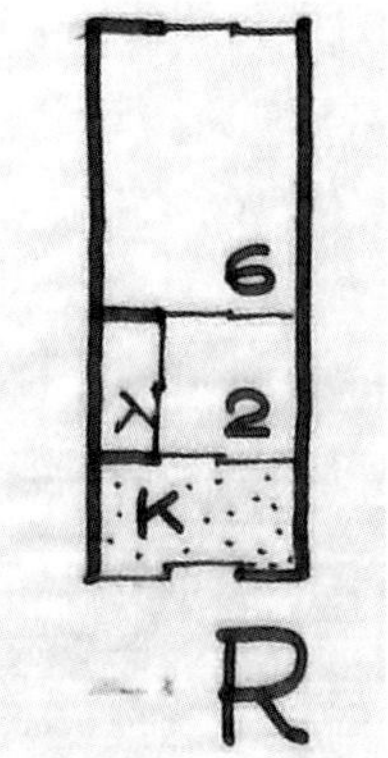

日給社宅の16、20号棟のうち104戸の間取り。6畳、2畳の2部屋と入口を兼ねた小さい土間台所のきわめて狭い2K。もちろんトイレ、風呂は共同。

さまざまな生活施設

端島にあった生活施設は、端島神社、泉福寺、小中学校、体育館、幼稚園、プール（海水）、児童公園、屋上庭園、温室、テニスコート、弓道場、卓球場、病院、派出所、郵便局、さまざまな小売商店、食堂、質屋、旅館、映画館（昭和館）、ビリヤード場、パチンコ、雀荘、碁会所、スナック、小料理屋、理容・美容室、老人クラブ、役場支所、公民館（図書室・集会所）、警察派出所などである。端島は離島であり、海が荒れれば何日も孤立してしまうことから、ありとあらゆる生活施設が揃えられ、以前には遊郭もあり、無いのは火葬場と墓地だけと言われていた。それらは端島と高島の中間にある小島、中の島に用意された。

上：［1970］岩山の頂上に建つ端島神社。毎日死の恐怖と向きあう鉱員にとって安全を祈る神社と毎年の祭りは重要な意味を持っており、「一山一家」と言われる強い絆の象徴でもあった。その奥は65号棟。右端は学校と体育館。
下：［1970］日給社宅の17-18号棟間から見る端島神社。日給住宅の屋上とは連絡橋でつながっている。神社の下は温室。現在は左端の小さい社だけが残っている。

上：［1970］3号棟屋上から北東に神社を望む。その奥は65号棟。さらに海上に高島と右手に中の島。
下：［1952］左の木造2階の入母屋と瓦屋根の2階部分がお寺。右は24号棟。その崖上に11、12号棟、さらにその上に8号棟などの職員住宅。お寺は岩山上の木造住宅群の中に間借りしていた。

上：［1970］木造入母屋屋根の2階がお寺の泉福寺。住職は禅宗だが全ての宗派を取り扱い「全宗」と呼ばれていた。手前は映画館。
下：［1952］木造2階建ての旧端島小中学校。学校グラウンドの北に南面して建っていた。正面破風やバルコニーなど立派なデザインとなっている。窓にはすべて雨戸がついており、台風等の風雨の強さを物語っている。RC校舎に建て替え工事を進めている最中に火災で焼失。

上：［1970］小中学校のグラウンドと巨大な校舎の北東面。1958年に建築されたRC 6階建て、7階は鉄骨で増築された。4階までが小学校、その上は中学校。大きなガラス窓が目につく。その右の65号棟と最上階で連絡している。ただし、これは避難路で、日常の登下校での利用は禁止されていたらしい。
下：［1970］端島小中学校近景。教室の大きな窓は、高層アパートの下層階の住宅では昼間でも電灯をつける生活なので、子どもたちに日光に触れさせようというねらいがあるという。高校は高島高校に船で通うが、波風で欠航すると島の公民館で自習した。島の子どもたちは高校だけでなく大学への進学率も高かった。

上：[1952] 端島小中学校のグラウンドには立派な相撲場があった。グラウンドは野球ならほとんど外野が取れないほど狭いながらも島最大の平地であり、シーズンには各団体の運動会が連日開催され、住民の大きな楽しみであった。

下：[1970] 65号棟屋上に設けられた幼稚園(保育所)と屋上園庭。屋上の幼稚園は非常識だと文部省の役人が検査に来たが、島の中ではここが最適地だと納得して帰ったという。遠景は野母崎半島。

上：[1970] 65号棟屋上の幼稚園園庭のブランコと温室、手前は幼児用プール。
下：[1970] 65号棟屋上の幼稚園のブランコ、すべり台と砂場。

上：[1970] 幼稚園内部の遊戯室。
下：[1970] 22号棟2階にある高島町役場端島支所。

上：[1970] 65号棟から北を見下ろす、左からRC 4階建ての病院の屋上、RC2階テラスハウスの教員宿舎のちどり荘、その手前にテニスコートとグラウンド。遠くには中の島（中央）、高島（左）、そして遠景に長崎半島。

下：[1952] 1927年、昭和2年に完成した映画館「昭和館」のアールデコ風正面。会社が最も力を入れ、成功した福利厚生策。名作、封切りの新作がかかり、島外から映画を見るために訪れる人もあった。交替勤務のため昼間ヒマな人も多く毎日賑わっていた。演劇やコンサートなどの劇場でもあった。

上：[1970] この頃になるとテレビに押されて映画は斜陽に。昭和館にかかる映画も子どもには見せられないものに。
下：[1970] 昭和館1階の客席部分。2階席もあるが、すっかり寂れている。

上：［1970］65号棟の中庭のはしまこうえん。カラフルな遊具が並び児童公園としては充実している。潮降り街の道をはさんで正面奥は66号棟啓明寮。

次頁：［1970］48号棟（右手前）と51号棟（奥）の防波堤とのすきまに設けられた児童公園。ただの空地にしか見えない。51号棟の下には卓球場もあった。

[1952] 島の南西端に建設された町民プール(海水)。この他に幼児用プールもあった。水泳シーズンが終わると野球場になる。コーナーにいる審判は逃げ場がない。海に囲まれた島でなぜプールが?と思うかもしれないが、子供たちは海での遊泳を禁止されていた。それは危険であるだけでなく、衛生上の問題があるからであった。島のし尿やゴミはほとんど海洋投棄されていた。そのため伝染病に感染することが多かったのである。病院の横に隔離病棟が用意されるほどであった。とはいえ、禁じられても多くの子どもが岸壁から海へ飛び込んで遊んでいた。

上：［1970］日給社宅北側のダストシュート。高層住宅の多くにはダストシュートが設けられ、清掃員が収集していく。エレベーターがないので欠かせない設備だろう。
下：［1970］集めたゴミはメガネと呼ばれる防波堤の穴から海に捨てられる。その後女性が高波にさらわれる事故があり、海への投棄は中止となったが、それはもう閉山直前のことであった。穴のむこうに高島。この穴から高島を見ると意外に近く見えるのでここを「メガネ」という。

青焼き図面（西山文庫蔵）

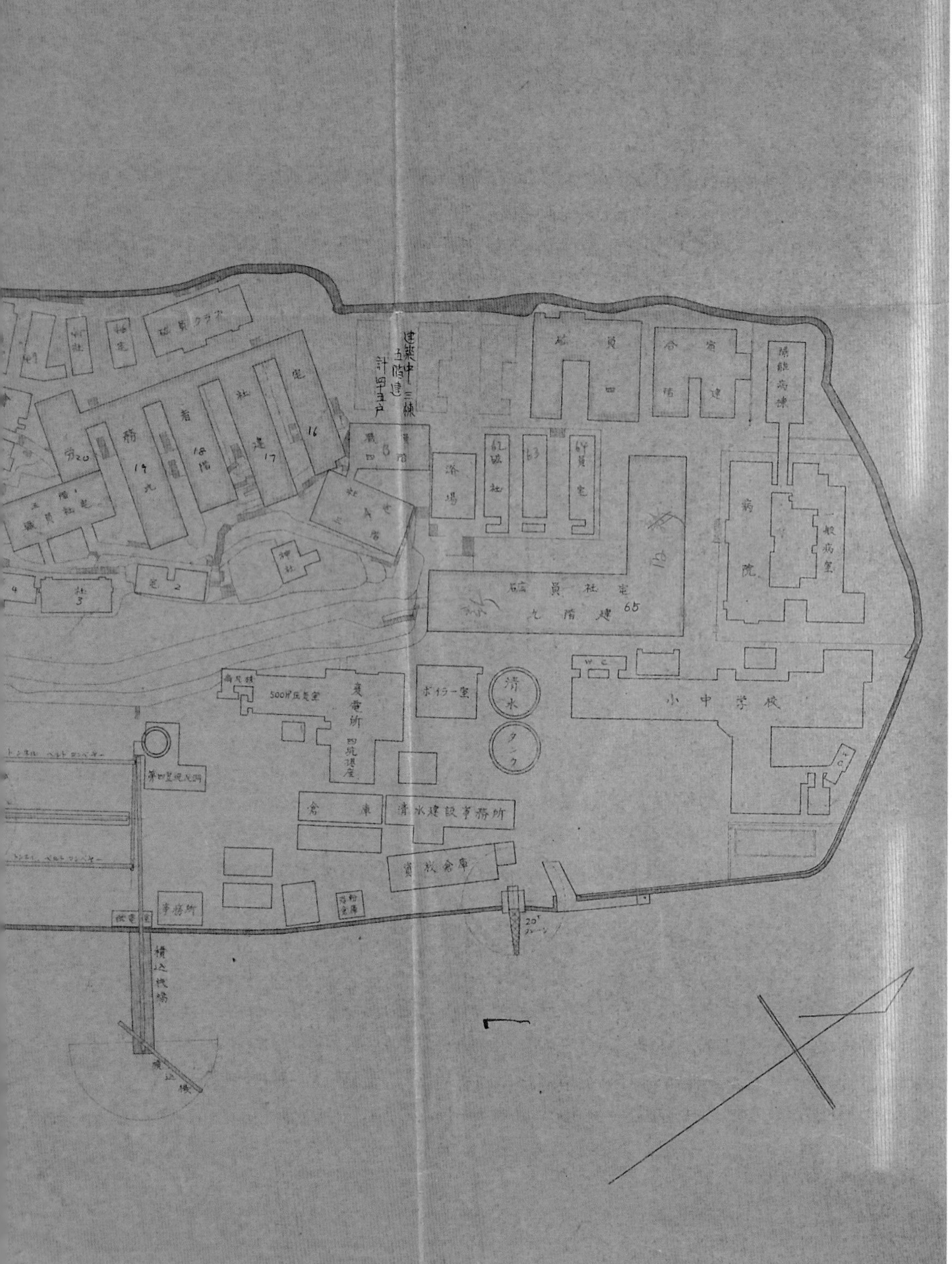

■軍艦島建物配置図—1952年頃—

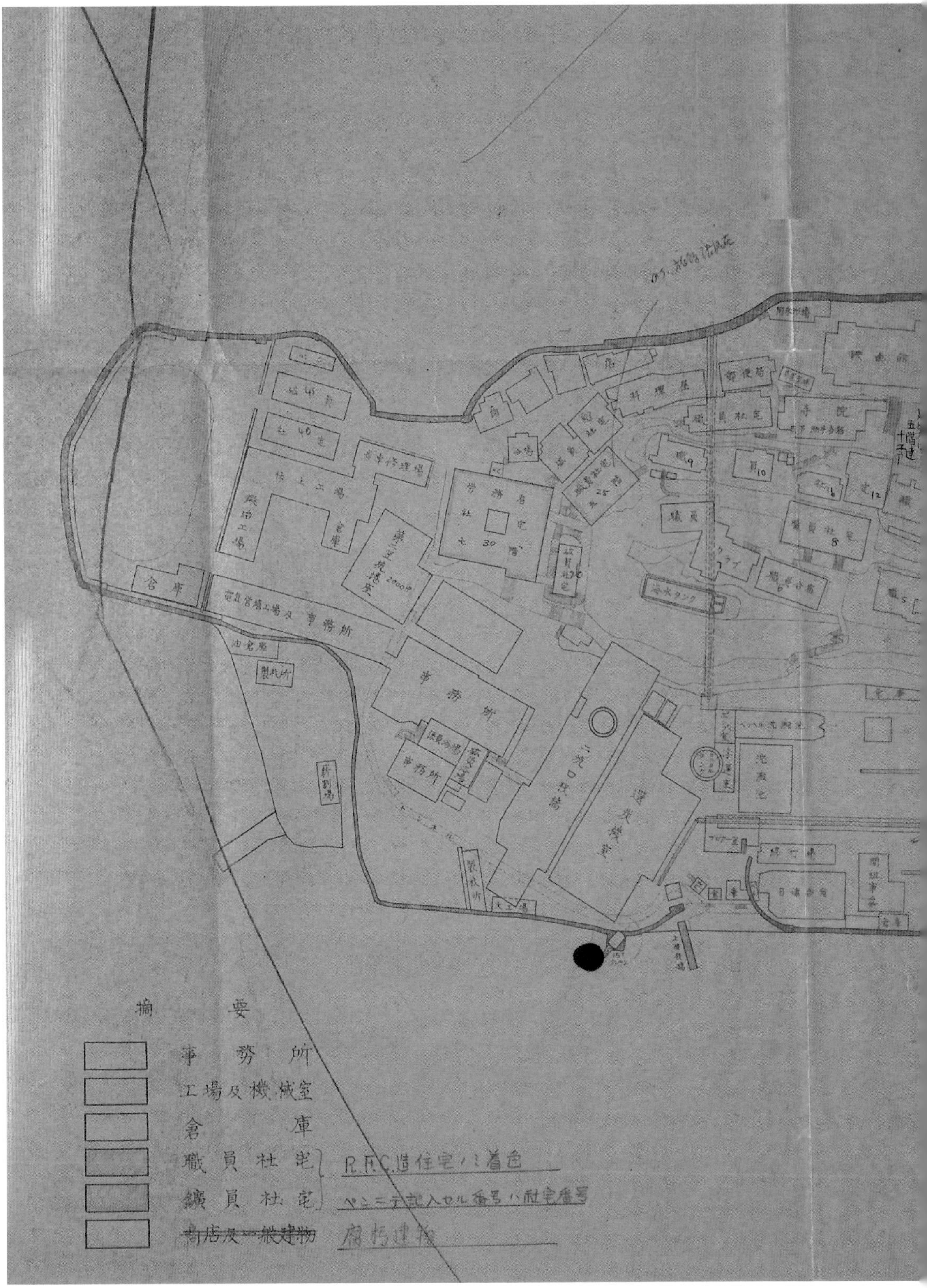

（西山夘三・画）

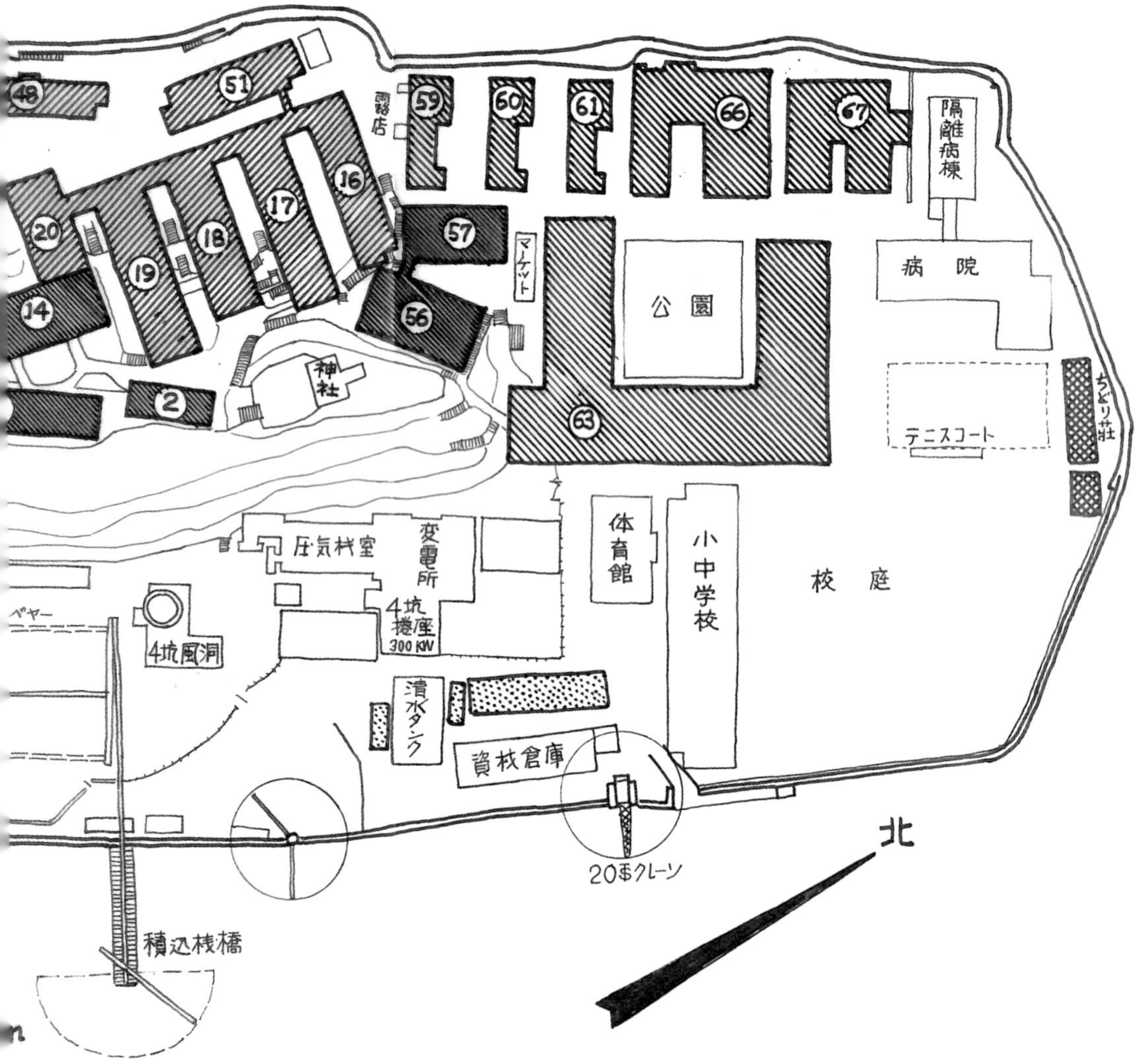

48
51
露店
59
60
61
66
67
隔離病棟
20
19
18
17
16
57
マーケット
14
56
公園
病院
神社
2
63
テニスコート
ちどり荘
圧気機室
変電所
4坑捲座
300KW
4坑風洞
体育館
小中学校
校庭
清水タンク
資材倉庫
20屯クレーン
積込桟橋
北

■軍艦島建物配置図—1970年頃—

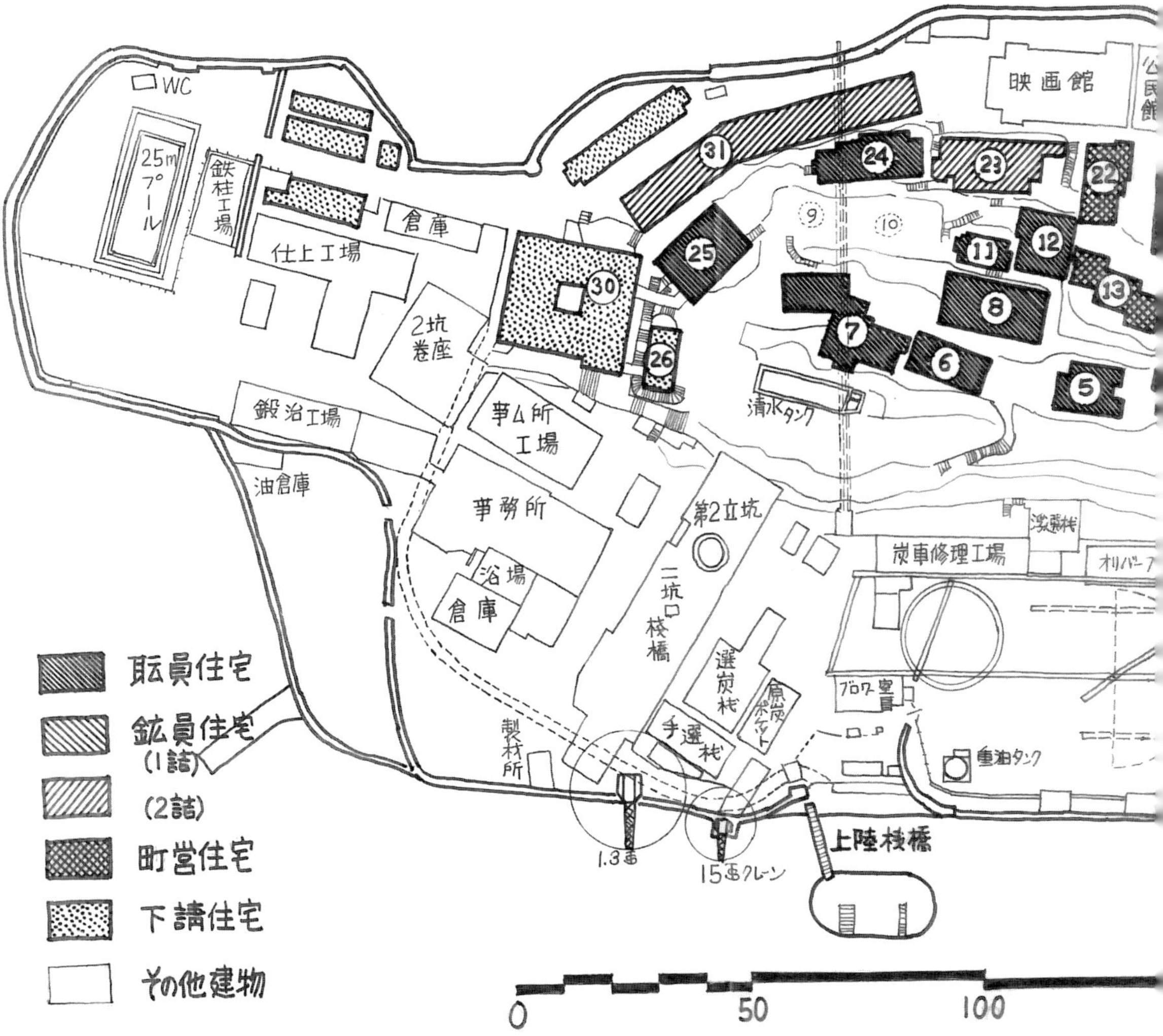

[63は誤記。正しくは65]

軍艦島主要建築物リスト（生産施設は除く）

建物名	構造階数	建設年	用途　備考
1 号棟　端島神社	木 1 ＋ RC1	1936	神社
2 号棟	RC 3	1950	職員アパート
3 号棟	RC 4	1959	職員アパート
×旧 3・4 号棟	木		旧職員アパート　撤去後新 3 号棟に
× 4 号棟	木		旧職員アパート
5 号棟	木 2	1950	鉱長社宅
6 号棟	木 2	1936	職員合宿
7 号棟	木 2	1953	職員クラブハウス
8 号棟	RC ＋木 3	1919	職員社宅　1F 共同浴場
× 9 号棟	木 2		職員社宅　焼失
× 10 号棟	木 2		職員社宅　焼失
× 11 号棟	木 2		職員社宅　焼失
12 号棟	木 3	1927	職員社宅
13 号棟	RC 4	1965	公務員教職員住宅
×旧 13 号棟	木		職員社宅
14 号棟　中央社宅	RC 5	1941	職員社宅
16 号棟　日給社宅	RC 9	1918 － 32	鉱員社宅　1F 外勤詰所
17 号棟　日給社宅	〃	〃	〃　屋上遊園地
18 号棟　日給社宅	〃	〃	〃　屋上農園
19 号棟　日給社宅	〃	〃	〃　屋上弓道場
20 号棟　日給社宅	RC 7	〃	〃
21 号棟	RC5	1954	鉱員社宅　1F 警察派出所
×旧 21 号棟	木		職員社宅
22 号棟　カモメ荘	RC 5	1952	公務員住宅　1F 老人クラブ　2F 役場
23 号棟　泉福寺	木 2	1921	1F 社宅　2F 寺
× 24 号棟	木 3		職員社宅　焼失
25 号棟	RC 5	1931	職員社宅　2F 宿泊所
26 号棟	プレハブ 2	1966	下請飯場
30 号棟　グラバーハウス	RC 7	1916	鉱員アパート→下請社宅
31 号棟	RC 6	1957	鉱員アパート　地下共同浴場　1F 郵便局
39 号棟　公民館	RC 3	1964	公民館
× 40・41 号棟	木 2		下請組員飯場長屋　撤去後プレバブ飯場に
× 45・46・47・48・49 号棟	木 2		鉱員社宅長屋　撤去後 39・48 号棟に
48 号棟	RC 5	1955	鉱員アパート　地下パチンコ、雀荘
50 号棟　昭和館	鉄骨レンガ造 2	1927	映画館
51 号棟	RC 8	1961	鉱員社宅　地下商店
56 号棟	RC 3	1939	職員社宅
57 号棟	RC 4	1939	鉱員社宅　60 号棟と連結　地下生協購買所
59 号棟	RC 5	1953	鉱員社宅　地下生協購買所
60 号棟	〃	〃	鉱員社宅　地下生協購買所
61 号棟	〃	〃	鉱員社宅　地下共同浴場
× 62・63・64 号棟	木 2		鉱員住宅を撤去後端島公園に
65 号棟　報国寮	RC 9	1945 － 58	鉱員社宅　屋上幼稚園
66 号棟　啓明寮	RC 4	1940	鉱員単身者寮
67 号棟	RC 4	1950	鉱員合宿
68 号棟　隔離病棟	RC 2	1958	病院付属隔離病棟　木造から建替
69 号棟　端島礦病院	RC 4	1958	病院　木造から建替
70 号棟　小中学校	RC 7	1958	1-4F 小学校　5-7F 中学校　木造から建替
体育館	RC 2	1970	2F 学校体育館　1F 武道場、給食室
ちどり荘	RC2	1958	6 戸の教職員用住宅

〈凡例〉 一、号棟番号は会社指定番号。
一、「RC」は鉄筋コンクリート造、「木」は木造を指す。
一、「×」は 1970 年時点で火災等により消滅していた建物。

調査レポート編

ここでは、西山夘三と扇田信連名の「軍艦島の生活」と、片寄俊秀氏の「軍艦島の生活環境」という2編の論文を再録する。いずれも軍艦島に多くの人が暮らしていたおよそ半世紀前の住まいと暮らしの状況を専門家の目で現地調査したレポートとなっている。

「軍艦島の生活—長崎港外、三菱端島炭礦の見学記」は、1952年10月に京都大学の建築学科助教授であった西山夘三が同助手であった扇田信氏らとともに端島を訪問して調査した報告を、財団法人住宅研究所の機関誌『住宅研究』1954年3月号、41—51頁に連名で発表したものである。

「軍艦島の生活環境」は、1970年5月に西山夘三京大教授らが再び端島を訪問した折に、会社側との事前交渉から現地同行及び資料収集までを担当した、西山研究室出身で当時、長崎造船大学（現、長崎総合科学大学）の助教授であった片寄俊秀氏が、その後1974年の閉山後まで幾度も訪問調査し、多くの資料を収集してとりまとめ、日本住宅協会の機関誌『住宅』の1974年5月号~7月号に、その1、その2、その3として延べ29頁にわたって掲載したものである。論文署名は片寄氏のみだが、その内容は西山の『日本のすまい』にも記載されており、京都大学西山研究室における軍艦島共同研究の一環としてとらえ、片寄氏の快諾も得て再録させていただいた。

「付記」は同氏による本書のための書き下ろしである。

なお、いずれもおよそ半世紀も前の論文であるため、再録にあたっては、今日の読者の便を考慮して、旧漢字、旧かなづかい、度量衡の単位などを、現行の表記にあらためた。

また、西山論文の写真キャプションなどの明らかな誤りについては、歴史的な資料であることを考慮して極力そのまま収録し、正誤の注記を付した。同論文のブラケット［　］内は編者による注記である。

軍艦島の生活

——長崎港外、三菱端島炭礦の見学記——

西山夘三
扇田信

まえがき

「端島」という名前を知っている人はかなりいると思う。この島には三菱の炭鉱があり、その従業員と家族4600人が住む鉄筋コンクリート7~10階建の高層住宅が島いっぱいに建ちならんでいる。その島の姿から「軍艦島」という異名がつけられた。ベトン［コンクリート］で固められた端島には一草木も見当たらない。ニュース映画はかつて「緑なき島」と題して、この島の生活状況を記録したはずである。私たちも建築関係の研究者として、機会があればその居住状況を見学したいと考えていたが、昨秋学会が九州でもたれたとき、その希望が達せられた。日程がなく充分な視察ができなかったがはじめて遭遇した特殊な生活環境について種々の問題があることを概略つかむことができた。炭鉱住宅＝給与住宅施設のきわめて特異な例として、それをルポルタージュ風に紹介したい。なお、見学については三菱鉱業所の方々、長崎県庁の方々また端島礦長はじめ皆々様にお世話になったことを紙上で厚く感謝の意を捧げたい。

長崎港から端島まで

1952年10月27日、午後4時頃、三菱鉱業所特別仕立てのランチに乗り込む、一行は西山夘三（京大）、向井正也（京美大）、扇田信（京大）の3人と端島礦の方1人が案内者として乗船、細長い長崎の湾内を湾口へ向けて進む。左手に長崎の町が山の斜面まで立ちのぼり、右手には長崎造船所の鉄骨ドックが海上に張り出している。よこの岸壁には、最近艤装を完了した戦後最大の油槽船［タンカー］20000トンが繋留されている。湾を中程まで進むと長崎の町はまばらになり、みすぼらしい農家に姿を転じていく。途中海岸に2~3の魚粉製造所を見ながら進むと、湾が少しひろがる辺りに伊王ヶ島がある。僧俊寛の流された島だと案内の人は説明してくれたが何かの間違いではなかろうか。もう約1時間になる、船は殆ど湾外に出かかっている。

はるか沖に2つコブの島影が見える。コブが2つに見えるのは2つの島が重なって見えるからである。手前が中ノ島、むこうが目的地の端島である。この2つの島の右手かなり手前に大きく見える島は高島（ここにも三菱の炭鉱がある。）島影が見えてからでも約1時間はかかる。いよいよ端島が眼の前に迫ってくる。

竪坑の上に組立てた鉄骨の巨大なヤグラがはっきり見える。7~9階の鉄筋アパートが壁のように島のふちから立上り、余り整然としない様子は島全体が建物の積み重ねのようである。そしてその頂点に神社建築のシルエットが黒々と印象的である。島は長手方向が南北線に対し40度東北—西南にふれているが、長手が450m、幅170m、島全体の造形からうける感じは往時の日本海軍の戦艦を思わせる。

「軍艦島」という異名があるのも当然のことであろう。

　この島には少し風波があれば船がつけられない。島周をぬり廻らした分厚いコンクリート壁は軍艦ならば艦腹にあたるが、それに荒波が打ちあたる時は、職員クラブのある島内最高の附近でも潮をかぶるほどである。コンクリート岸にはところどころ深い亀裂が入り波の破壊力の大きさを思わせる。風速15ｍもある日は、打ちあたる波の震動が鉄筋の建物の中でも感じられる。まさに軍艦そのものである。後ほど岸壁を見学しながら聞いたことであるが、アマカワ積みという長崎辺独特の方法で積まれている。地方に出る粘土性赤土と石灰を混じセメント代りに石のつなぎにする。この方法は非常に早く固まりその上に厚くコンクリートを塗りあげる。それでもつよい波には余り長持ちしないらしい。

　幸いこの日は曇天であったが波は静かで、われわれの船は島の全容を見せるため島周を一廻りしてくれた。来島者は皆、定期船でやってくるから島の裏側まで見るひとはきわめて少ないそうである。写真をとることに大きい期待をもっていたわれわれにとっては非常に有難いことであった。

　船のつくところには、吊上橋のような桟橋がつきでていてコンクリート壁の中程の高さに入口があき、入口の上には「端島礦」なる文字が横にならんでいる。さながら中世の城門を思わせる。この入口は直ちに地下道の入口である。ベトンで固め白ペンキを部厚くぬった要塞の地下道のようなトンネルには蛍光灯がともっている。約150ｍも進むとスロープになり外へ出たところが事務所の前である。事務所でわれわれは庶務係主任から工作課長を紹介され、島内の案内を乞うた。後程端島礦の礦長に紹介されたのもこの部屋であり、ここは礦長室になっていた。

1　軍艦島南正面。本名端島。軍艦島と呼ばれるのも無理はない。南側は選炭、貯炭、積込の場所に占められ、山の北背面に住宅群がある。

2　北面。西端の方に巻揚機が見える。東側（左手）に四角い白い建物が映画館。その後の入母屋の屋根は全島唯一の寺。

端島の生いたち

　礦長室には端島礦の歴史と状況につき説明する掛図がそなえつけてある。この中から島の歴史を抄述しよう。

　端島礦が発見されたのは160年前のことである。採炭は明治3〜4年から行われていた。

明治16年　対岸の小大名深堀領主が所有、
明治20年　第一竪坑（深44ｍ）を開さく。
明治23年9月1日　三菱経営にうつり、
明治24年　官業の民間払下げにより、
　　　　　後藤象二郎が政府からもらいうけた。
明治26年　第2竪坑（119ｍ）
明治27年　第3竪坑（161ｍ）

大正8年　第4竪坑（353m）にかかり
大正14年　これを完成
昭和5年5月　第2竪坑を改築掘下計画
昭和11年9月　これを完成（606m）現在に至っている。

端島の歴史は炭鉱の歴史だけではなく、それに密接に結びついた生活史がある。われわれにとってはこの方が興味ある問題であるが、残念ながらそれを詳述することができない。見聞の範囲内で印象的にまとめるとつぎのようになるだろう。

島にはかなり昔少くとも160年まえには人が住んでいた。その島民は対岸の高浜村の村民になっており、現在でもそうなっている。島内の生活が急激に変りはじめたのは明治23年三菱が経営に本格的にのりだして以来のことと思われる。炭鉱の膨脹とともに島内の人口も外部からの流入により増加しその住宅、施設等も増加しなければならぬ。また島全体が膨脹しなければ機能を果たしえない。島面積の拡張は明治26年を最初に30年、32年、33年、34年、40年、さらに昭和6年と計7回の埋立拡張が行われ現在に至っている。現在端島の総面積は、19800坪［6·5ha］、周辺約11町［1200m］になっているが、これは有効面積が元島の3倍になっている。その間この島に、炭鉱関係の施設や住宅などと共存していた12～3軒の店舗、寺、役場および高浜村民の住居などは、三菱炭鉱の拡張と共に買収され、現在では全島の土地および建物一切が三菱所有になっている。

半農半漁の住家や店舗は全部解体され会社が計画する一隅に商店街としてまとめられ、改めて会社が建物、土地を貸す形になっている。寺、村役場、駐在所なども同様。しかし端島の所属はやはり高浜村であり、村税の90％までをこのちっぽけな端島が収めている。高浜村は端島様々であるという。

一方、人口増加にともない炭鉱経営の住宅も建てられた。現在残存の最古のものは大正5年の木造平家、大正7年［正しくは5年］の7階建鉄筋コンクリート住宅がある。最近のものでは9～10階の鉄筋アパート、昭和23年の木造炭鉱住宅があるが、これら新旧入交って島半分に密集している。これから先、島はいかにして拡張され発展する見通しがあるのか、この点は全然考えられていないということであった。ただ、約4kmはなれた高島と海底の地下坑道で結びつけて、高島の方から坑夫を入坑させるという計画が考えられるそうである。しかしこれは端島と高島の間にある中ノ島炭坑が水没して廃坑になっている経験があるので、もし高島と端島をつなげば、どちらかが水没の危険に陥れば両方ともやられてしまうおそれがあり慎重に考えねばならぬ問題であるとされている。

ちなみに端島礦の炭質について一言すると、炭質は北海道の夕張、大夕張、高島のものに匹敵する上質炭で、鋳物製造のための炭として使用される。このための炭は8000カロリー［/g］以上で燃焼後の灰分は1％以内でなければならぬということである。ここの炭層は、傾斜が非常にきつく下の方で70度くらいになっている。そのため特殊な掘り方をしている。

3　軍艦島の玄関である。端島礦と書かれたトンネルを斜めに入り、地下道を進むと事務所前に出る。

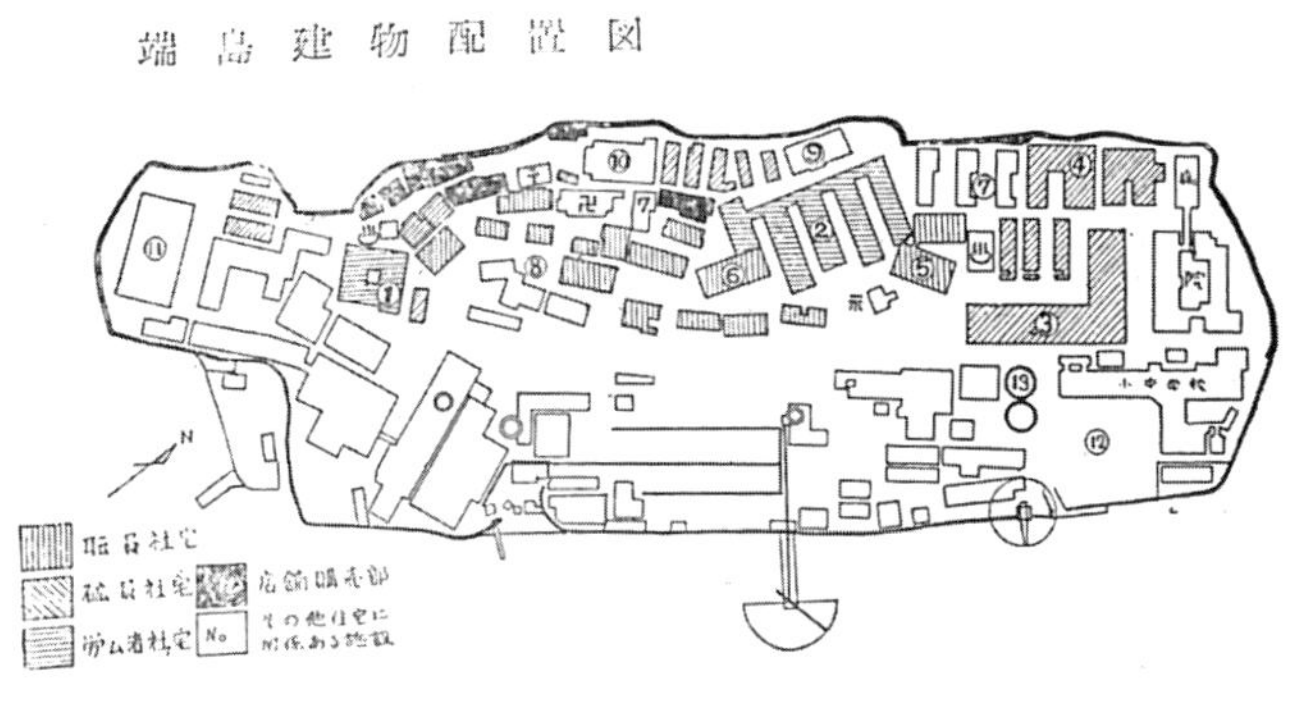

①労務者住宅　鉄筋7階建　大正7年建
②同　〃 9 〃
③鉱員社宅　〃 9 〃
④鉱員合宿　〃 4 〃
⑤鉱員社宅　〃 4 〃
⑥同　〃 5 〃
⑦建設中　〃 5 〃
⑧職員クラブ
⑨鉱員クラブ
⑩映画館
⑪プール（海水）
⑫運動場
⑬清水タンク2筒

生活

人口

人口総数4701人（家族をふくむ）、このうち400～500人は現在建設工事に従事している請負の社員、人夫等あるいは学校、店舗、役場、駐在所関係の三菱に所属せぬ人たちの人口である。炭鉱従業員で労務関係1663人、職員174人、計1837人が三菱の業務に従事している。

人口構成を述べると、4701人から400～500および1837人を差引いた残、2400人程が三菱従業員の家族数になる。1837人のうち独身は53%、家族持は47%とすると、家族もちは平均2・5人の家族をかかえることになり、平均家族数約3・5人である。性別人口は数字がないが、独身（主として男）53%から考えて男の方がかなり多い傾向を示している。結婚問題も島内結婚が重なり、縁が割合近くなる傾向があるという。

端島礦で仕事をする人々の生活を述べよう。1663人の労務関係者のなかで、1150人を占める坑内夫、この人たちが端島で最多数を占め、実際に炭鉱を動かしている人々である。坑内夫は3交代勤務で終日終夜石炭を海底の地下から掘りだしている。1番方は朝8時から夕方4時まで、2番方は4時から夜12時まで、3番方は12時から朝7時まで。そしてその各番方を一週間交代でつとめることになっている。しかし、実際の勤務状態を具体的に述べると、たとえば1番方が8時から仕事を始めるには、朝6時半には家を出て7時には入坑する、坑を出るのは4時きっかりにはいかない。それでも礦長の話では「昔の坑夫は星を頂いて入坑し星を頂いて出坑する。陽の光に当ることがない、これが坑夫が働き振りを自負することにもなったわけだが、今は8時間労働制で太陽を見てから入坑し、陽のあるうちに出てくる」という。2番方や3番方は主として夜の労働だから昼間に寝ておかなければならない。しかし昼間は子供がうるさくて、その上社宅がせまいのでゆっ

4　そそり立つ住宅群、右端にのぞいている鉄筋アパートが大正7年建設で鉄筋として島内最古のもの、平面図の番号1にあたる建物。[西山のキャプションは写真と一致していない。写真の入母屋屋根とそれに続く木道住宅の2階部分がお寺。右手の木造3階アパートは職員住宅。]

5　窓、窓、窓、**4**のアパート近影、7層の労務者専用アパートで、6帖1室住居が殆どを占めている。梁のコンクリートの剥落がひどく補修計画中。［西山のキャプションは写真と一致していない。写真正面の階段が地獄段。右手は9階建てRCアパート、日給住宅16号棟、左手は57号棟。］

くり眠れない、というのがかなり多い不満らしい。

保健

坑内の湿度はひじょうに高く、温度も40度とトルコ風呂のようだときくが、この中で一日中仕事をしている。しかもきわめて微粒な炭塵がたちこめている。したがって坑夫は余り健康的とは云えず結核になる人がかなりいるらしい。「よろけ［坑内の粉塵による珪肺などの鉱山病］」もいるようだが、余りはっきりしたことは聞くことができなかった。また、いかに8時間制で太陽をかいまみる時間があっても日中の大部分を坑内ですごす坑夫たちにとって、紫外線その他体に必要な光線に欠乏していることは間違いない。それを補う光線照射等の設備は全くない。

採炭量

このような環境のなかでこれら坑夫によって掘り出される炭量は月に18000～20000トンになる。1日にして約800トンほどをこの人たちが606mの海底下の地中から掘り出している。その石炭は端島に一日おきに横づけされる1500トン積みの船に機械的におとされる。

給料

さて、採炭夫の給料はどうであろうか。会社側の話では「よい」ということである。つめて働けば日に1000円とるものもいるというがそれでは体がもたない。ふつう600円ほどであろう。採炭夫には独身者が多いが彼らの寮費は食費共1ヶ月1500円だという。食うだけのことなら3～4日働けばよい、したがって稼働率が悪くて弱っています、と会社側は嘆く。稼働率は大体65～75%、われわれが訪問した時には丁度労働組合が賃上闘争に入っていたので「もうすぐストライキに入るので今のうちは80%まで上がっていますが……」と会社は云っていた。

稼働率

この稼働率については端島では問題がある。独身者が53%を占めていることについては前に述べたが、これは端島がとっている一つの方針なのである。島がせまい、住宅が足りない。したがって家族持でなく独身を多くとるという方針を出している。事実、独身者がこの島で与えられている居住面積はきわめて少ない。6帖1室に5～6人の割合で独身寮につめこまれている。ところが会社側の考え方では、独身なるが故に、食う、遊ぶに必要な分しか稼ごうとしない、つまり稼働率が低いという、また一方、採炭夫の交代がひんぱんであることが能率にも影響するとこぼしている。これも勿論身軽な独身者について主に考えられることであろう。たとえば三池炭坑では1100人の坑夫について月に20人内外の移動しかない、端島では三池の1／10ほどの数に対して月に30～50人の坑夫の移動がたえず行われるので、その補充を常に考えていなければならぬということである。しかし、なかには島におれば生活は何とかなるので、島から出て他所に就業することをこわがり居ついているものもいるらしい。ところが「居つくことはよいが、そういうことから浮世離れして退嬰的な気持になる傾向があるが、これも困ったことだ」という。端島の人たちの出身地は、宮崎、鹿児島、大分県が多い。北九州炭坑全体の傾向では鳥取、広島、愛媛、岡山県から入っている人が多い。

掛売制について

以上のような稼働状況に関連して礦長の考えの一端をうかがうと、「むかしから炭鉱がやってきたカケウリ［即金払いではなく、ツケ払い］の方法を私は復活させたいと思う。」このカケウリの方法というのは、たとえば坑内夫が1日働けば何百円までカケウリをするというその限度を決めておく、つまり就業状態により購買能力をかぎることにより、醤油、味噌、米など生活必需品の購買能力が切れるとおかみさんが亭主に入坑を督促するという仕組みになるようである。この制度が戦時中現金払いにかわり今もそのままになっている。それを再び昔に復活させたいという理由は、「己れの欲する以上に坑夫が入坑する」ことをねらうためらしい。

しかし、対策としては逆に家族持をもう少し増やすようにすれば能率が上るのではないかということも考えられている。家族持は安定してよく働くという。しかし、これにはまえに述べた住宅という先決問題が必ずからんでくる。また、これに関連して人を増やさないで設備を機械化して行く考え方も出ている。今はやりのいわゆる合理化が稼働率と関係して問題になっている。

住宅

配置

対独身者にせよ、対家族持にせよ、住宅問題はこの島内では生産と直接むすびついた重要事項になっている。まず島内における住宅の配置状況を説明すると、島の南半分は炭鉱部分が占有し住宅はこれを保護するかのように北半分に林立している。竪坑は1番から4番まで皆南半分にあり、貯炭、送炭場、したがって積炭施設も南面し、風波をさけている。そしてその半分に4600人の居住空間を拵えねばならぬから、建物もいきおい高層化し、わが国の鉄筋コンクリート建物の歴史の上でも初期に属するであろう大正7年［正しくは5年］にすでに7階建鉄筋コンクリート・アパートが建てられている。また最近のものでは9階が多く最高は10階に達する。こうして建物は正確に云うと島の北西部に密集し北西斜面を構成している。できるだけ詰め込んで建てるため、建物の主要軸は南北にむき日照条件は全般的に悪く無視されていると云える。とくに北部労務者社宅などではある部分は井戸の底に住むような箇所もあり、さながらニューヨーク・マンハッタ

6 海に面する9層のアパート、島の東端にあり採光条件は他にくらべて良好である。礦員アパート。

7 井戸の底のようなアパートの中庭。労務者住宅の一部（平面図で建物番号2にあたるもの）ひるなお暗く、中庭に面した部分の居住者はひるも電燈をつけている。

ンのスカイ・スクレーパー〔摩天楼〕裏にあるスラムの様である。日照は四六時中なく、ひるでも電灯をつけている。

老朽

ここで問題になっていることは鉄筋コンクリート住宅の老朽である。大正7年の7階建は日本の鉄筋コンクリートの歴史でも、最初のものに属しているが、そのいたみ方のひどいことは注目に値する。柱、梁の角が大きな部分剥落し、中の鉄筋が真赤にさびている。そのさび方も尋常ではなく松皮のように酸化鉄の表皮がはがれるほどである。ひどい部分ではコンクリートはほとんどおち、鉄筋だけに近い部分もある。この現象は建物の古さによるものではなく、理由は他にある。工作課の人の話ではコンクリートが剥離して鉄筋がさびるのではなく、鉄筋がさびて内部で膨張するためにコンクリートがおちる。というのはコンクリートが剥落した時には鉄筋はすでに赤錆になっているからだという。ではなぜそうなるのか、その理由がはっきりしない。海水の影響を考慮して鉄筋や骨材は施工前に島内で貴重な清水を使って洗うことにしてあるそうだが、やはり骨材が悪いこと、コンクリートの施工も悪く豆板〔施工不良のため、すきまだらけになったコンクリート〕が見られるし、海水に浸蝕され普通の場合よりも早く中性化し浸蝕をうけるためではないかと思われる。この様な被害をうけているのは、古い建物にかぎらず比較的新しいものでもこういう傾向があらわれている。大正7年のものは現在補強予定であるが、ざっと1000万円の工費がかかる。

鉄筋高層住宅にまざって木造建物がある。店舗、役場、購買、学校、現場小屋などのほかに、住宅もかなりある。その中で大正5年の木造住宅がなお鉱員社宅として使用されているが、会社側でも腐朽建物として取扱い、新しい住宅ができるまでの仮の住まいだと弁解していた。

8 7のアパートの階段部分。ここは8層のアパートの下の方だが、柱および梁の被覆コンクリートは全部剥離している。これは端島の鉄筋コンクリート造に新旧を問わず共通して現れる荒廃現象である

その他、昭和23年の炭鉱住宅などがある。おいおい鉄筋コンクリート住宅に移して行く方針であるらしいが、現在そういう人々もふくめ全部で住宅要求戸数は400戸であるという。もっとも、個々の人がそれぞれの住宅に対しどの程度の要求をもっているのかそれは聞けなかった。

会社の人の話では、鉄筋コンクリートにして1戸当り120～130万円かかるということであるが400戸分つくるとすれば5億の金がいるわけである。三菱は端島に対し年10億の経常費を組んでいるそうであるが、そのうち2億は住宅建設に使われるだろうという話、ここでは住宅は直接産業に結びついた施設として重要視されている。しかし、その建設にも多くの問題がふくまれている。まず産業施設として重要視されている住宅に、単に数だけの問題の解決ではなくどれだけ質的な向上が考えられているかということ。また技術的な面では、さきに述べた鉄筋腐蝕の問題、それから端島は下を掘炭しているため島全体が炭層の地すべりによる変形をおこしている。その結果島の長手方向に亀裂が入っている、その上でいかに高層建築を建造するかと

いう問題。また、建設工事の引受手がなかなかない。というのは、大工事をするために相当の人夫がいるが、その人夫の寝泊り場所を島内に充分にとることができない。これが悩みの種であるという点も出ている。

9 危害予防の手すり。他の写真でも見られるが、高層アパートにはすべてほどこされている。島でこれまで数度子供が相当高い階から落ちたことがあるそうである。しかしみな奇跡的に助かったという。なお、せまくて干場がない島内では皆ここの部分に物干架がついている。

住宅の規模

住宅の型は図ならびに表に掲げた通りである。最大6、6、8、2、2の5室から、最少4帖1室にいたるまで17通りの型がある。その中で代表的なものを抜き出すと図に示した様なAからKまで11通りである。A、B、Cはいづれも3室以上の住居で、主として職員住宅、DからHにいたる5つの型は主室と副室からなる2室住居、それ以下はいずれも単室住居になっている。2室および単室住居は主として、鉱員および労務者用住宅になっている。いまこれらの住宅と世帯人員との関係から、それぞれの型における具体的な規模を算出して見ると、表のようになる。家族人員は最大10人から最少2人までに分布しているが、型別に見るとA型の1戸当り平均6・6人からK型の1戸当り3・2人まで、住宅室数の低減にともなって世帯人員も減っている。しかし、それは何ら住宅規模が妥当な配分にされているということにはならない。各住宅について世帯人員1人当りの畳数をわりだして見ると、A、B、C3室以上の型では、世帯人数は多いが1人当り帖数も3・6〜2・7帖で比較的島内では良好な状態である。ところがD以下になると世帯人員は低減しつつも1人当り畳数は2帖をわり、1・8帖から最低1・3帖の平均値が出ている。本島でも最も主要な住居を占めているE、F、G、H、I、J、これらでは、みな1・6帖／人の過密な状態を示している。最もひどい例は6帖1室に9人という状態も見られる。

住宅の割当については、最大条件は勤続年数、次に職階、そして家族数も考慮に入れられる、という話をきいたが、たしかに家族数に応じた合理的な配分に余り考慮が払われていない様である。職階制より勤続年数の方が先行すると云われているが、確かにそういう面もある一方、やはり労務者は最低の住居生活を営んでいる。たとえば大正7年［正しくは5年］に建てられた6帖1室のアパートは、最小規模の一つであるがこれらは労務者住宅である。また、6帖2帖、あるいはもう少し上位の、6帖4・5帖、8帖3帖の2室住居になると鉱員住宅であると同時に、労務者にとっては最高の住宅になっている。また3室以上のA、B、CならびにD以下を比較すると、間数の差は別にして、［A、B、Cでは、］床の間、縁台がつく。便所が各戸につく。炊事場は板張になっている。表玄関と裏口が別にある等々と。［D以下では、］便所は共同便所、炊事場はコンクリート土間、この土間が玄関と共通になっている。炊事設備（カマドまたは流し）などが共同になって、個々の設備は少なくなっている、等々の職階的な対比が見てとられる。

この外に、対比の見られる所は、鉄筋アパートの8〜9階高層部は大体職員〜鉱員層で占められているときいている。ふつうの都市アパートでは高層になるほど居住条件が悪くなるのが常識であるが、島内では、高層アパートの櫛立によって日照条件は8〜9階が最もよい。また住宅が島の北傾斜面を利用して建っているから、上下の連絡は余り不利にならない、などのことから8〜9階は居住条件のよい部分になるのである。一方、9階建労務者住宅の下の部分では、さながら井戸の底のようで、住んでいる人々は四六時中電灯をつけている。

給水

住生活に関連してこの島で最大の問題は給水問題である。海上の小島でありながら水の消費量は莫大であるから給水を島内の井戸などに求めることは全く不可能である。端島で1日の使用水量は450〜500トン、島内の施設として、2100トン容量の水槽があり350トンのタンカーが毎日3杯出入して貯水している。この水源は長崎市南端より約1里の箇所にある土井ノ首水源地である。土井ノ首水源地というのは三菱、長崎市および伊王島の炭鉱、この三者が共同してつくっている協同組合のものである。現在、土井ノ首から端島まで海上約3里〔12km〕強の距離があり運賃を計上すればトン100円ほどになる。1日500トンとすれば年約2000万円の運賃になり莫大な費用となる。そこで土井ノ首から直接パイプを端島まで通そうかという案がおこっている。これには約2億の施設費が推定されているが、その程度の費用は、現在のタンカー輸送のことを考えれば、すぐに元をとることができると云われている。

現在の給水手段では、海が少し荒れると島は全く絶縁状態になるので給水不可能になる。かりに2100トンの水槽一杯に満たされていたとしても4日しかもたない。海が荒れるとまず風呂が海水風呂になり真水の風呂は中止される。今までの最高記録では7日間ほど給水船が途絶えたことがあるという。そして水の使用はふだんでもかなり節約されている。この点もまた軍艦生活に似通っている。

便所

給水および排水について問題になることは水洗便所についてである。便所は一部に汲取式も併用されており毎日百姓が舟一艘でとりにくるが、大部分は水洗便所であり、これについて問題がある。水洗には相当な水量を消費するがそれに貴重な清水を使用することは余りに勿体ない、というので海水を使った水洗が行われている。ところが海水を使うと腐敗槽の中で便が一種の塩漬状態になり充分に腐敗しない。それを海に放流するわけだが、充分腐敗せぬものを放流することは衛生上よくない、ということで県から規則によって攻撃されている。しかし現在でもやはり海水を使用しており問題は解決していない。

風呂

入浴の設備は島内の人口と比較してひじょうに少い。総計5ヶ所にすぎないが、しかもその内訳は、礦長社宅に1つ、クラブに1つ、そして職員労務員一切をふくむ4600に対し3ケ所の共同浴場である。その上入浴時間は午後4時から8時までときめられているから、おそらく相当な混雑であろうと推察される。残念ながらわれわれは方1／2間〔90cm四方〕ほどのクラブの来客用浴槽にゆったりとつかっただけで、本当の共同浴場を見ることができなかった。このクラブの風呂は来客用ということになっているが部課長級の高級社員はここを利用するらしい。「部課長は忙しく帰宅がおそくなる時などもう風呂がない、そういう時にクラブの風呂を使います」という説明であるが、少しうがった解釈をすると、クラブの風呂は部課長用であると考えられ

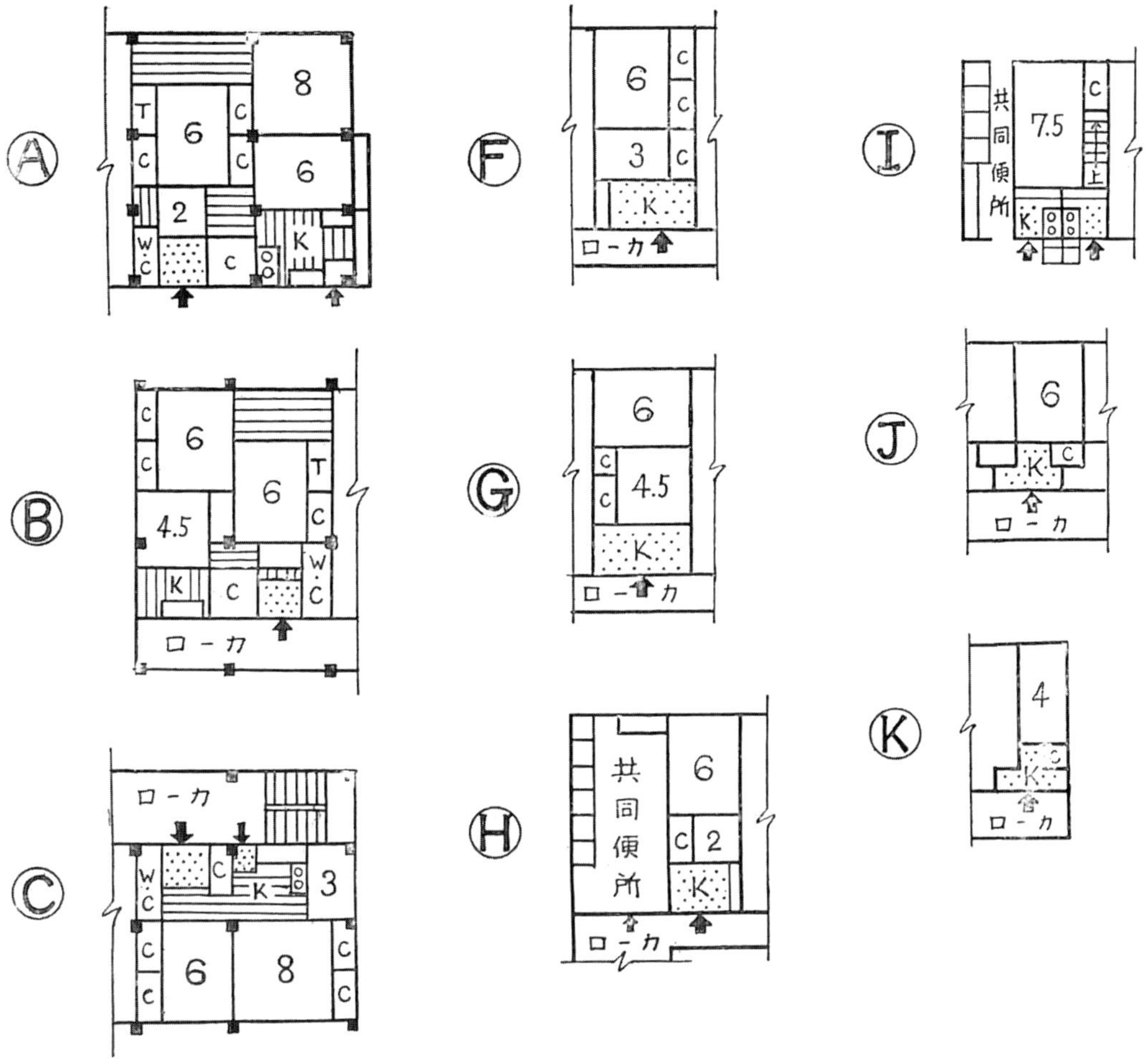

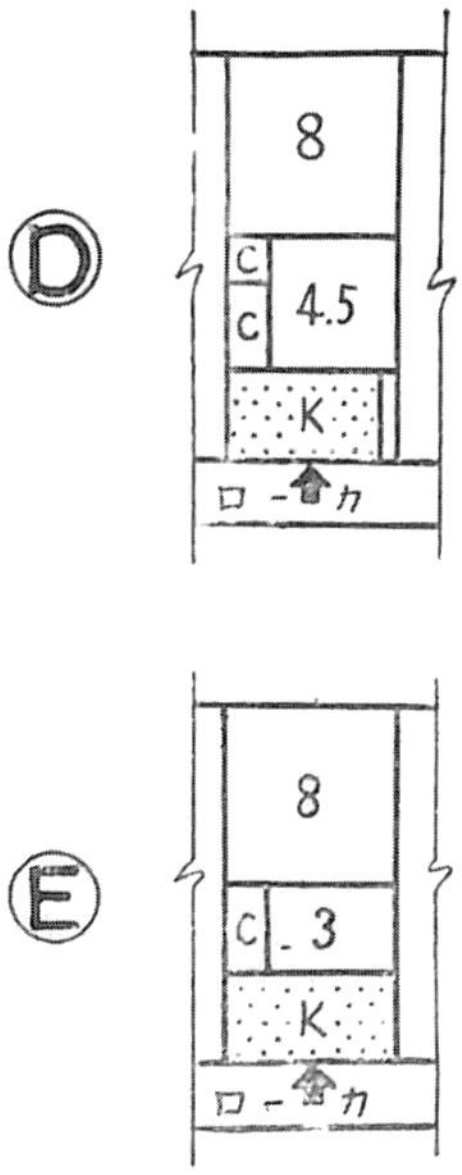

住宅の型（上図と対照）

型	室構成	戸数	世帯人員 Max	Min	平均	帖/人
A	6+6+8+2+2 帖	6戸	9人	4人	6.6人	3.6
B	6+6+4.5	6	8	5	6.1	2.7
C	8+6+3	15	10	4	6.4	2.7
D	8+4.5	13	8	3	6.8	1.8
E	8+3	66	9	2	6.6	1.7
F	6+3	28	10	2	5.9	1.5
G	6+4.5	21	8	2	6.0	1.7
H	6+2	67	9	2	4.8	1.7
I	7.5	10	7	3	4.6	1.6
J	6	131	9	2	3.8	1.6
K	4	9	6	2	3.2	1.3

10　居室にくつろぐ炭坑労働者。この人たちは独身である。したがってここは独身寮の1室で、14帖に10数人が住んでいる。

そうである。

一般共同風呂の方は、石炭に汚れた坑夫が多数入浴するから浴槽が2つにわかれている。第1槽で炭をほぼ洗い流したのち第2槽に入る。そうしないと湯がたちまち黒変してしまうからである。そして坑内に入った人々はここで石鹸を2度使う。微粉炭は非常に細かいので、ほそい皮膚のシワのなかまで浸みこんで一度洗ったのでは容易にとれないという。一度石鹸で洗いながしてから、もう一回念入りに洗うのだそうである。夏などは坑から風呂へ直通し、はだかのまま家に帰る連中がいるという。

給水関係について述べたついでに電力につき一言しておくと、電力の供給は坑内、坑外にわけ、坑内は自家発電、坑外は買電により需要をみたしている。坑内の自家発電は停電の危険をさけるためである。

消費生活

島には15軒の個人商店と三菱直営の購買部とがあり島内の人々は生活必需品のほとんどすべてをこれらの店舗にたよっている。まずその2つについて個々に詳述すると、

個人商店

この方は昔から端島で商業を営んでいた高浜村民である。土地、建物は今は全部三菱所有に帰し島の北側中央部に集められて中央商店街のごときものを形成している、個人商店の人々は現在地代とも坪5円で三菱から借りているのである。業種は、酒類1、雑貨商2、衣料1、飲食店2、料理屋1、タバコ雑貨1、野菜屋1、青果と魚屋1、その他9階建の寮の中に、果物菓子類の売店が3、同建物地階にパン、そうめん、うどんの売店1、チャン料［中国料理のことか］1、など計15の店舗がある。この他に特殊な営業が1つある。遊郭である。ここには12～13人の娼妓がいるが、まえ村会議員なるものが経営していたそうである。今は、元端島の職員であった某がひきつぎ経営している。利用状況については、列をなして待つときがあるという話をきいたが、実際は、このせまい島内で12～13人では、しまいになじみがついて個人的な交わりになり公娼としての性格が失われてしまう、という話の方が真実のようである。若い者は金を溜めて長崎まで出て遊ぶのが多い。

購買部

今一つの三菱直営の購買部というのも、やはり中央商店区の中に4ケ所分散しているが、靴、ラジオ、衣料等5売場をまとめた小型百貨店式のものが一つ、その各売場には5人づつの売子がいる。それから食料部3人1ケ、魚部4人1ケ、この他全体の事務員4人、出納係2人、運搬仲仕6人、計購買部には47名の従業員がいる。購買部が扱う金額は米300万の他、雑品月400～500万円、計、月に7～800万円の操作をやっている。おそらく個人商店は、この購買部に圧倒されているのではないかと考えられるが、個々の意見聴取が不可能であったのでわからない。

これらの他に日々島を訪れる商人がある。かれらは野菜屋と魚屋である。魚屋は舟で30～40人やってきて10時半頃に上陸、11時から午後

4時まで店をひらいて帰っていく。野菜屋は9時から11時ごろまでに売って帰る。そしてその魚菜のうれ残りは、残しておいて購買部に委託売りにするそうである。購買部が扱う魚類は2時半〜4時半頃に運ばれてくる。便所の汲取りは、野菜を売りこみにくる百姓がその足で運んで帰るようにきいた。

消費生活

どの様なものが売れるか、このことは娯楽機関のない島の生活では、消費と楽しみとが重なり合った消費生活の中で説明される。島の人にきくと金の使い方に二つのタイプがあるそうである。一つのタイプはある程度金をため、たまれば4〜5日連休で長崎に出て遊びつくしてくる。このタイプは当然独身者に多い。もう一つはチャッカリ型というか、金をためてはせっせと物を買う、それがまた楽しみなタイプ。これは当然家族もち、あるいは女の人を代表するタイプであろう。したがって端島では、買物がぜいたくだそうである。たとえば、靴、衣服類は出来合を買わぬそうである。皆あつらえる。また女の人は安い化粧品に見向きもしない。高級品がよく売れる。写真機とラジオが多いことも一例になる。礦長のことばを借りると「どいつもこいつもみんな写真機をもっていてこのせまい島の中で運動会なんかがあると写真機の砲列だ、私はいつも云うんですが、この島は写真が流行っているんじゃない、写真機が流行っているんだよ。」こういう礦長御自身も高級カメラをお持ちであるようだ。また、ラジオ熱も盛んであるらしい。それもただ聞くというのではなく、オールウェイブ8球、10球［当時のラジオは半導体ではなく、真空管を使っていた。真空管を8個使ったものが8球であり、球数の多い方がより高級］とか、上等で球の多いことが競争になっている。6球などは最低の部だそうである。工作課長氏曰く「私の処ではこんど8球をつくりましたが、これで島一番だと思っていたら、ちゃんと10球をもっているのがいる、恐れいりましたよ」と、しかし、この課長さんの家にはまだ使える6球があるのだから2台あるわけだ。ところが2台あるのもそう珍しくないらしい。また、せまい住宅に電蓄やソファのようなものを買い込んで悦に入っている人もいるという。

娯楽その他

映画

娯楽に余り恵まれない島に、社経営の映画館がある。平日は6時から2回上映する。女の子にきくと、大体見逃さぬようにしているそうだがチャンバラものなどおかまいなしに来るので面白くないときもあるという。印象に残っているものは?ときくと、なにか外国ものの名前と「原爆の子」をあげていた。

野球

野球は小学校の校庭、といっても50m四方ほどの猫の額のようなものだがここでやっている。外野をとるだけの余地がなく、守備は内野だけの野球、ホームランはおろか、ボールが内野を一寸こえれば外は海であるから、守備は必死である。これできたえるので端島のチームは強いという自慢をきかされた。

島の南端には25mのプールがあるが、遊び場のない子供たちが、干上ったプールの中で野球をしているのも変わった風景であった。

島全体としては、運動会、角力大会、盆踊りなどがその時季に応じて定期的に行われるらしいがそういうときはひじょうに盛んだそうである。

読書

新聞は案外早く、その日のものはその日に入ってくる。島で扱っているものは5～600部。その他、キング、婦人公論、講談雑誌などをよく見かけるそうだが、月おくれの雑誌を安く売りにくる本屋がいて、その利用者もかなりあるそうである。

休日

日曜、休日はやはり長崎まで出かけて行くのは楽しみであるらしい。日曜日には約150～200人の人々が朝7時の船でいそいそと出かけて行く。1日に2～3杯の船が出る。長崎との連絡は日曜以外も毎日三菱の連絡船がでる。その船は本人は無料、家族は5円（一時10円のこともあった）だそうであるが、もし普通の便船だとすれば60円の料金をとられるだろうということである。連絡船夕顔丸は長崎造船所明治20年（？）の建造でこの島の歴史と共に年を経てきたものである。

鉢植、盆栽

こんなものも「緑なき」この島ではただ単に個人的な趣味というもののよりもっと強い生活の楽しみになっている。全島を見廻って1～2本の貧相な木がある以外に緑は全くない。島の人は外に出ると「緑が眼にしみる」と云っている。だから、植木鉢や草花を買って帰り、わずかに陽のあたる窓台や廊下に沢山ならべて楽しんでいる家を方々で見かける。緑なき島では同時に、牛や馬を知らないという子供もいるという話である。

寺と墓地

端島にはたった1軒の寺がある。もちろん坊主もいる。そしてこの寺も今は三菱のもので、坊さんは寺を借りているのである。この寺は元来、禅宗であったが、島の人に云わせると「全宗」であるそうだ。その理由は、真宗だろうが、浄土宗だろうが仏事はすべてこの寺で行うより仕方がないからである。

年に4～5人の死者が島から出るが、この寺の世話になって大体は出身の郷里に墓をたててもらう。しかし中には端島にうもれる人もいる。われわれ一行が往きも帰りもその傍を船で通りすぎた「中ノ島」、ここには端島専用の焼場と小さい墓地がある。南面の渚近くに小さい小屋があり、これが焼場になっている。遺骸は船で端島から運ばれてここでダビにふされる。風浪が荒れ狂うときは屍体を焼場まで運べないで困ることもまれにあるそうである。中ノ島の中央の高い所に小さい墓地があり、桜が植えられている。春は美しいそうである。

軍艦島の生活環境（その1、2、3）

長崎造船大学助教授　片寄俊秀

はじめに

長崎県西彼杵郡高島町端島――通称「軍艦島」――は、長崎港から海上約18㎞の位置にあり、野母半島北部海上に浮ぶ、面積約6・3ha、東西0・16㎞、南北0・48㎞の南北に細長い小さな島である。島の全域が三菱端島礦の所有であり、明治年間以来約84年間の長きにわたって、島直下および周辺海底の石炭採掘のための基地としての機能をはたしてきたが、このほど1974年1月15日をもって端島礦が採掘を終了、閉山したので、この島もその機能を終了したとして島内居住者も完全に撤収することとなった。（74年4月末までには終了する予定とのことである）

島の構成は、南西部分が鉱場用地であり面積にして約40％を占める。残りの60％すなわち北東部および中央高地部が島内居住者のための居住地である。島内居住人口は明治年間に早くも2700～2800人に達しており、その後最盛期には5300人強、73年12月の閉山直前でも2200人であった。すなわちネット居住密度でコンスタントに800～1300人／haという超高密度居住が行なわれており、それは一種必然的な結果として中高層のコンクリートアパートを大正年間から林立させ、その威容が「軍艦島」として名付けられてきたのであった。

端島へのアプローチは、長崎港大波止桟橋より客船で片道約1時間20分の行程である。船は2隻あり、乗客定員は各355名。途中高島を経由して端島に向う。時化のときはしばしば欠航し、とくに高島―端島間を欠航することが多い。（台風シーズンは月に5～6日欠航し、また本数削減がある）この便は73年12月現在1日9便であった。

端島の遠望はたしかに「軍艦」にふさわしく、中央部が高くなっていて最高部に白色の職員アパートとそれに並立した端島神社の屋根がみえる。立坑のヤグラはマストの如くたち、林立する高層アパート群は近づくものを圧倒する。夜、窓々にあかりがともると「軍艦」は豪華な客船に一変する。

全体がそそり立つ高さ20m位のコンクリートの岸壁で囲われており、船つき場はその中腹の穴から海上に突き出したドルフィン桟橋と呼ばれるものである。

船の発着のたびに、桟橋には会社のマーク入りの帽子をかぶった人物が立ち、鋭い目つきで乗降客の動向を見守る。不審とみた上陸客にはつかつかと近づいてその行先きと目的を誰何《すいか》することがある。ときどき制服制帽の警官が桟橋に立ち、彼と談笑しながら船の来るのを待っていることもある。

70年5月ごろでいえば、船客のほとんどは高島で降りてしまい、端島まで乗るのは多いときで20～30人であった。上陸するとまず看板が目にとびこんでくる。

写真1　「軍艦島」全景西方上空より

「告、外来客は必ず海岸玄関の外勤係に届け出て許可を受けて下さい。無断入島者に対しては即刻退島してもらいますので御承知おき願います」

　桟橋から居住区までは岸壁ぞいのトンネルを約200メートル進む。この島を始めて訪れたとき、うす暗くじめじめしたこのトンネルを進みながら私は恐怖とも戦慄ともつかぬ一種名状し難い感じに襲われたのを覚えている。かつて「二度と帰れぬ鬼ケ島」と恐れられたあの三菱高島炭坑のさらにはずれのこの端島に送りこまれた数多くの労働者や強制連行されてきた朝鮮人や中国人捕虜は、このトンネルを通ったあと、二度と再びシャバの空気を吸うことなく凄惨な強制労働のなかでそのみじめな一生を終えたことであろう。暗いトンネルには彼らの思いがしみついているように感じられたのであった。

　トンネルの出口にあるのが、1916年（大正5年）建築と伝えられる7階建ロの字型プランのアパート（30号棟通称グラバーハウス）である。南北に走る通路の両側には5～9階建のアパートが林立し、それらは各階毎に互いにブリッジや斜路で連絡しており、島全体が一体のアパートを形成しているかの如くである。隣棟間隔はきわめて狭く、中に立って上を見上げると谷底にいるような気分になる。

　下階部分はほとんど日照を望めず、湿気も強く、見るからに居住性は悪そうであるが、上階部分や島の中央高地部は見晴らしもよく、日照条件も良くて居住性も決して悪くはなさそうである。高い部分に職員層、低い部分に鉱員層、最も居住性の悪いところに下請労働者層が居住するという、ヒエラルキーと高さおよび居住性とのあまりにも明瞭な関係は、この島の良く知られた特徴のひとつである。時化のときなどは岸壁に波頭がくだけて、そのしぶきは雨のように島全体にふりそそぐ。したがって塩害、潮害はどの階層も免れえないが、これも低地部において被害の度合が大きいことは明らかである。

　学校は島の北端にあり、小中学校が一体となった7階建の校舎で、下4階が小学校、上3階が中学校、これに島内唯一の広場でもある一辺60mの四角い運動場と体育館がつく。町立幼稚園と保育所は学校の隣りの9階建の社宅アパートの屋上階に増築されていて、屋上に遊び場がある。病院が一つ、商店は会社営の購買会や個人店舗それに野母半島からやってくる行商の露店が通称端島銀座にずらりと並ぶ。娯楽施設や公民館、役場支所、郵便局、警察官派出所などの公共施設もあって、日常生活は島内でほぼ充足しうるようになっている。労働者は三交代で鉱場および坑内で働き、残りの時間をこの環境で過ごすのである。

　われわれ住宅や都市の研究を志すものにとって、この軍艦島は次の点できわめて興味深い対象であったし、筆者自身かねてそのような観点からの調査を試みる機会をうかがっていたのであった。

　第一は、この島においてすでに数十年にわたって超高密度居住の経験が積み重ねられてきたことである。子供たちはジャングルジムのように立体的につながった細い通路と、ところどころに散在する小さな広場や屋上庭園などをフルに使って遊び、大人たちはいやでも日常的に顔をつき合わせて暮らす空間的条件のなかで、独特の生活様式を築いてこざるをえなかったに違いない。また施設の建設、更新、維持管

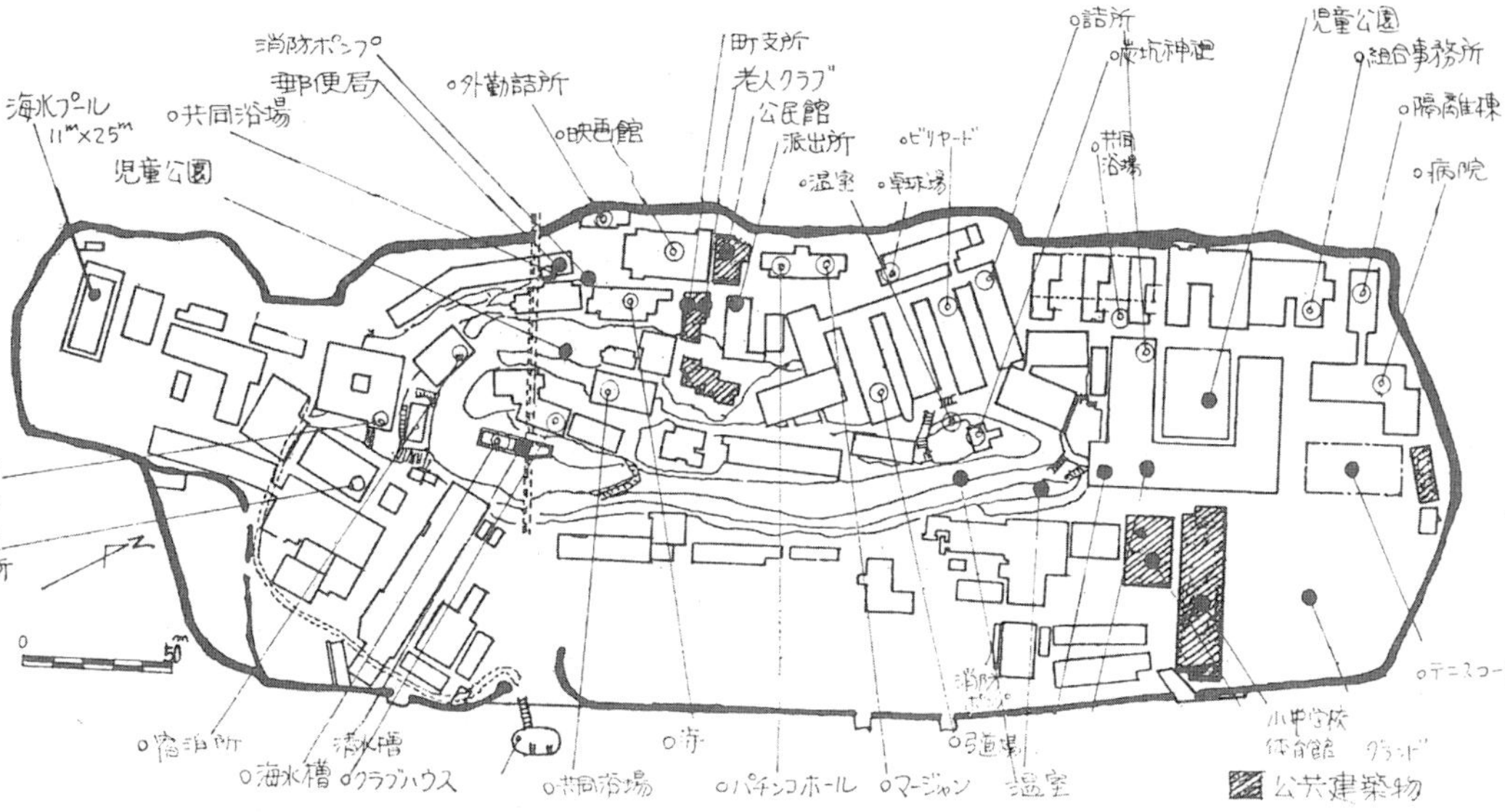

図1　「軍艦島」配置図

理などについてもさまざまな特殊な経験が積み重ねられてきたことであろう。これらの人間の叡智の結晶ともいうべき経験は、これからの高密度居住区のあり方を模索するうえでの貴重な資料として整理しておく必要がある。

　第二は端島の場合、全島が一企業の所有地であり、労働者の生活のための施設を含め、島内のあらゆる施設が生産遂行のための手段として企業の立場から強力に構成、管理されてきたことである。とくに端島は、隔絶した絶海の孤島でありながら、石炭生産合理化政策のなかでも大手優良鉱としてビルド鉱に指定されるなどの条件のもとで、かなり高水準の生活施設が備えられてきた点で特徴的である。

　たとえば端島居住者に問うと、よく「ここは住みよい」という答がかえってくる。その理由としては「生活の安定」「炭住の気易さ」などがあげられ、とくに閉山を前にした時点では、家賃光熱水道費込みで月額10円という「暮しやすさ」を再認識する声は強かった。なるほど職員・鉱員・下請（組）という階層関係は厳としてあるが、64年以降の住宅事情の大幅な緩和の結果（後述）、いわゆるシビル・ミニマムについていえば島内ではほとんど充足されているといってよいし、なお不足する部分については、高い賃金および各種の福利厚生支出がそれをカバーしてきた。

　生活水準を指標化して比較するならば、端島における生活水準は全国的にも決して低くないし、その「住みよさ」は客観的に証明することが出来るだろう。だがしかし、われわれ外部の人間からみるならば、いかにシビル・ミニマムが充足されていようとも、この島はあまりにも狭く、その狭いなかであらゆる生活が企業によって計画的に管理されているという事態は、想像するだに息のつまる感じがある。そのようななかで、住民は「住みよい」と答えてくれるが、その「住みよ

写真2　最高部のアパート屋上より俯瞰

写真3　端島中心商店街

さ」とはそもそも何であろうか。またその「住みよさ」はなぜ実現したのであろうか。さらに問うならば、その「住みよい」状況がようやく実現したまさにそのときに、閉山という事態が迫り、労働者は各自の生活のドラスチックな切替え（とくに島内労働者の大半を占める中高年令層とその家族にとって致命的ともいうべき）を余儀なくされたということは、そもそも何を意味するのであろうか。

　この面ではとくに生活環境づくりについての住民の主体的な努力の積み重ねがどう行なわれてきたのか、また生産点でのたたかいと不可分一体のものとして生活環境づくりにとりくんできたであろう労働組合の役割がいかなるものであったか等々、きわめて興味ある課題が存在する。

　しかしながら以上のような筆者の調査要求なり希望なりは、ついに実現の機会をもたぬまま時期を失してしまったことを読者の皆様にお詫びしなければならない。第一は筆者の怠慢であり、第二はこれを思い立った年の時点においては企業は島内管理にきわめて細心の注意を払っており、そういうことに対して非常に神経質な対応が予想されて二の足を踏んできたこと（恐らく正式に調査を申入れても受入れてくれなかったであろう）、第三は閉山を迎えた時点ではもはや住民生活における定常性が失われ、さらに住民の主たる関心が閉山解雇後の自己の生活維持にむけられているであろうときに、それについてわれわれ自身がなんら取りくむ姿勢をもたずに「調査」に入るだけの勇気をもちえていなかったことも原因のひとつであった。

　したがって、本稿では先に述べた関心事に少しでも近づくことを目的としつつ、これまでにわれわれの収集することのできたいくつかの資料を記述的に整理することにとどめざるをえなかった。しかし、これまでにわれわれのような立場からの端島についての記録は、

１９５４年の西山夘三、扇田信両氏らによる「軍艦島の生活」（住宅研究所発行）以外には寡聞にして知らず、このような記録でも一定の価値はあると考えるのでここにあえて報告する次第である。なお本稿をまとめるにあたっては、端島礦総務課中村英司氏および端島労組小宮実氏、鉱員の山下馨氏その他端島在住の方々、元端島坑勤務者の有田満男氏、高比良勝義氏、端島生れの長崎造船大学学生丸山久志君、その他大勢の方々に大変お世話になった。

また京都大学巽研究室杉本茂、長崎造船大学建築学科赤松公人、有川博、衛藤賢一、久米村涼、小林康博、藤永広美の諸君による調査と資料収集成果を利用させていただいた。紙上をかりて厚く謝したい。

1．端島における生活環境形成史（表1参照）

端島における石炭の発見は、端島礦沿革【1】によれば高島炭坑におけるよりも約90年遅れて１８１０年ごろであったとされている。採掘は露出炭を対象に１８７０年ごろから始められ、１８８３年に佐賀藩深堀領主鍋島孫六郎がこれを所有して近代的採掘事業に着手した。ちなみにわが国最初の洋式採炭事業は隣島の高島で始められ、１８６８年に佐賀藩主鍋島閑叟と英人Ｔ・Ｂ・グラバーとが共同事業として始めたとされており、端島の開発はその延長上に位置づけられたものといえよう。その後高島炭坑は後藤象二郎の手を経て１８８１年に三菱合資会社の岩崎弥太郎の所有となり、引続いて端島も１８９０年に島全体が三菱に払下げられ、以来本格的採掘事業が始められた。

三菱は深層部開発に着手し、１８９５年には当時として驚異的な深さ１９９ｍの第２立坑の開さくに成功。その後幾度かの危機を迎えたが、開発を深層部、周辺部へと拡大し、技術革新を重ね、労働力を投入したり切捨てたりすることによってこれを回避し、ついに１９７４年１月の採掘終了、端島礦閉山に至るまでの84年間にわたって、ほとんど途切れることなく出炭し続けた。炭質は強粘結炭で良質の原料炭である。

島の大きさは明治年間以来の数度の埋立てを経て今日に至っており、開発着手以前は面積的には現在の約１／２～５に過ぎぬ無人島であった【2】（図－2）。

湧水の全くないこの島での事業推進のために、１８９１年に製塩・蒸留水機が設置され（これは１９３５年に廃止）、さらに給水船の運航が行なわれたが、１９５５年には対岸の野母半島との間に海底水道が建設されている。

採掘事業の拡大とともに島内に居住する労働者の数は増加し、彼らの住居は当初の木造3～4階建の納屋から、鉄筋コンクリート造の中高層住宅へと移行していった。沿革によれば１９１６年（Ｔ５）の7階建アパート（30号館）が最初であり、１９１８年（Ｔ７）の9階建連続5棟（16、17、18、19、20号、一部は当初6階建でのちに増築）の建設がこれに続き、１９１２年（Ｔ12）当時の長崎日々新聞に「軍艦島」という名で報道されたとある【3】。

その後住宅建設は、最高出炭を記録した１９４１年（Ｓ16）を中心とする時期と、敗戦後の石炭の傾斜生産政策が進められた時期において著しく進められた。またその他の生活関連諸施設の建設もこれらの時期に集中的に行なわれている。生産の停滞期には建設も停滞している。

このように端島における生活環境の形成過程は、石炭生産の盛衰と深いかかわりあいをもちつつ進められて来たといえよう。

端島における石炭生産の状況は、大きくみて次の4つの時代に区分できると考えた。

第1期は1890年から1914年頃まで、すなわち三菱による事業着手以来、封建的な労使関係（納屋制度）のもとで生産が進められた時期であり、これを初期拡大期と名付けておく。この時期に隣島の高島炭坑に潜入した松岡好一による「高島炭坑の惨状」と題する大キャンペーンが雑誌「日本人」に掲載され、これが大きい反響をよんだ。高島よりさらに離れた端島において当時なにが行なわれていたか、それを伝える記録は数少ない。

第2期は1914年ごろから1945年の敗戦まで、深層部を対象にきわめて強度の生産体制を維持した時期であり、これを戦前高出炭期と名付けておく。この時期に納屋制度は廃止され、直轄労働者化が推進されるとともに労働者の住宅のRC［鉄筋コンクリート］高層化が進められた。戦局の進行とともに「産業報国戦士」運動などによる長時間労働の強制と、朝鮮人労働者や中国人捕虜に対する強制労働などによって大増産がはかられたが、すべては敗戦によって大きい転換をむかえた。

第3期は、1945年から1964年まで、敗戦による新しい労使関係の誕生と労働組合の結成、石炭産業復興政策による高度成長の時期である。1964年のガス燃焼による下部水没、採掘中止によって人員整理が行なわれるまでの間、島内人口は戦前戦後を通じてこの時期が最大であるが、出炭量は第2期より少ない。この時期を戦後高出炭期と名付けておく。

第4期は、1965年から1974年まで、新炭層の開発に成功し端島礦が再開され、石炭産業合理化の政策のなかでビルド鉱指定（1968年）をうけつつ出炭を続けた時期である。労働者数は激減

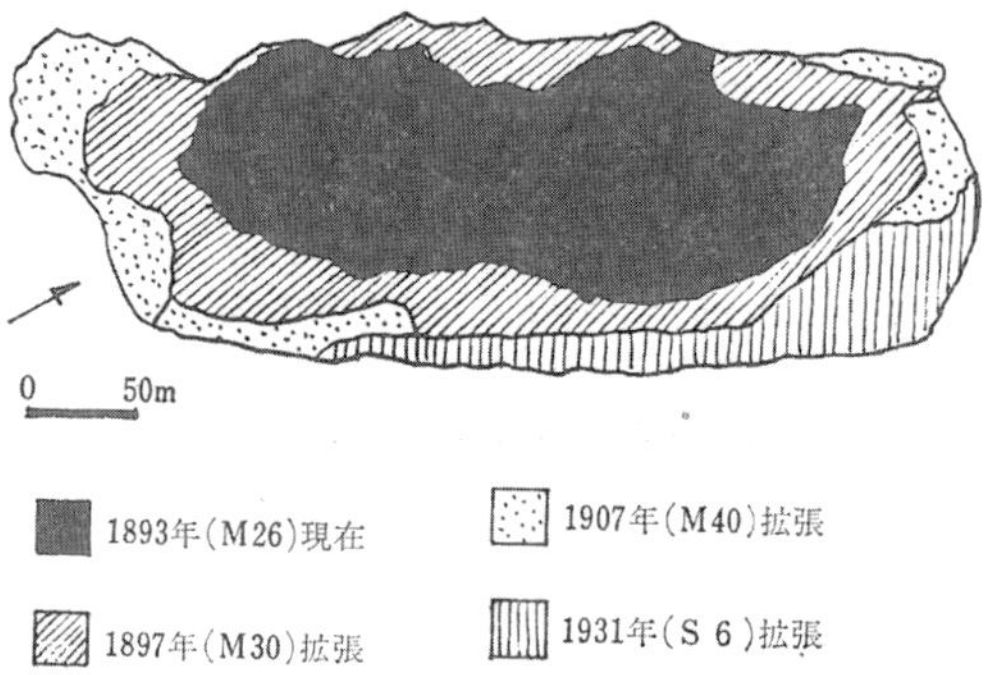

図2　埋立拡張図

写真4　谷底のような中庭と暗いアパート下階

し老令化が進行したが新規開発の採算われを理由として閉山が決定され、採掘終了、閉山を迎えた。この時期を再建・終結期と名付けておく。

以下、それぞれの時期において、端島の生活環境がいかに形成されてきたかを概観しよう。

(1)初期拡大期　1890〜1914頃

1890年（M23）の三菱による事業着手以降、石炭生産は急テンポで進められ、この時期の出炭量は年産10〜20万トンを記録している。島内の模様については当時の県土木課長鈴木氏によるルポルタージュ「高島炭坑の現況」（1912．6．23、24 東洋日の出新聞）に次の様な記述がある。

表1　端島生活環境形成史主要事項年表　端島砿沿革、端島支所沿革より　**端島砿業所資料

年		住宅建築年代**	
1810	露出炭発見。		
1890	三菱合資会社の所有となる。		
1893	第２立坑開さく（深さ199m、M28完成）		
1894	第３立坑開さく（深さ161m、M29完成）		
1900	端島島内戸数93戸、新築家屋13戸となる。		
1907	高島、端島間に海底電線できる。		
		1916	30号棟
1919	第４立坑開さく（深さ353m、T12完成）	1918	16〜20
1925	キャップランプ使用開始。変電所建設される。	1926	12・50
1930	第２立坑の改修に着手（1934に終了）		
1931	夕顔丸社船として運航。	1931	25
1932	給水船三島丸進水、坑内運搬をエンドレス運搬とする。	1936 1937	6 11
1939	朝鮮人労務者が坑内夫として集団移住を開始する。	1939	56・57・66
1941	411,100ｔ年間最高出炭。		
1943	１日2,062ｔ第２立坑より捲揚げる。	1941	14
1944	第２立坑ヤグラ歪修正。		
1945	二子発電所空爆を受け二坑底坑道まで水没する。	1945	65
1946	端島労組結成。		
1947	公衆電話架設。		
1948	二子、端島砿分割。		
1949	スキップ捲揚運転開始。	1949	24
1950	三菱鉱業金属部門分離。	1950	5・67
1952	端島プール完成。	1952	22
1954	ドルフィン桟橋完成、海底水道布設工事着手。	1953	2・7 59・61
1955	町村合併促進法により高島と合併する。高島町立端島保育園発足。	1954	21
1956	労組ストに対し会社ロックアウトする。	1955	48
	９号・12号台風によりドルフィン桟橋、端島プール破壊。		
1957	小中学新校舎完成。旧校舎、病院、65号棟類焼。海底水道完成。	1957 1958	31 69
1958	南部プール完成。	1959	3
1962	現ドルフィン桟橋完成。野母商船運航始める。（大波止〜端島）	1961	51
1964	ガス燃焼、下部区域水没放棄。従業員1,056人を524人に減員。	1964	39
1965	三ツ瀬区域に着炭、新生端島坑再開。	1965	13
1970	端島沖探炭工事中止を公表。	1966	26
	変電所前の組宿舎火災２人焼死。		
1973	木造３階（11号）より出火１人焼死。 1974年１月15日をもって端島坑を閉山することを労使で決定。		

「……而して端島は周囲8丁余全面積13000坪にすぎずといへども、本島の四周はすべて石炭層にして水面以下650尺の地点は15度デップにして厚味一丈の炭層に達すべし。去る20年頃採掘を始め、23年初めて三菱会社の有に帰し、爾来今日に至るまで出炭額日々400〜500トンを下らず。又同島の四面は階状に築き立て其上に三階若しくは四階の長屋住宅を建造し、島の東部は作業場にあて西部一面は住宅地にあつ。7000坪の敷地に人口2700〜2800人と註せらるるが、2坪半に1人の割合にて、人口の密度は遥かに東京、大阪を凌げり。

1日の消費水量は実に120石［22トン］に上り、此の外機械用として70〜80石を要するをもって、日々200石［36トン］内外の蒸留水製造せられ、其の副産物として有名な高島塩の製出を見る。

娯楽場、演劇場、料理屋、学校、共同販売所等の設備あり。高島、端島は勿論二子島も井水は皆無にて蒸留水を飲用とせり。現今1荷《か》［天秤棒の両端に担げる量］1銭なるも数年前までは1尺4方［約27ℓ］4銭なりき。高島塩は100斤［60kg］1円40銭にて収納され、専売局は之れを倍額に定めて払下ぐ。坑道の枠木は主として八代地方並びに対島方面より購入するが其額莫大なりといふ。採掘せる石炭は団平船1そうに100〜150トン位を、当（長崎）港に送りて寄航の外国船に売り、大阪・東京地方などに出荷せり。

また端島には直立40尺［12m］の城郭の如き美事なる石垣あるが、南風もしくは北風最も強き時は、波浪とうとうとして此石垣をのりこへ、社宅を襲いて転覆せしむることあり。」

このように島内にはすでに2700〜2800人という大人口を収容するための住居と各種の公共・共同施設が設置されており、施設としてはとくに1893（M26）年に早くも会社立尋常小学校【4】（副

表2　初期拡大期における高島、端島両礦争議記録

1870（M3）	高島坑夫数百人、賃金引下げに反対して暴動。ⒶⒷ
1870（M3）	高島坑夫約400人賃金引下げに反対し暴動。佐賀より兵を送り鎮圧。Ⓑ
1872（M5）	高島坑夫200余人暴動。外国人技師に暴行。ⒶⒷ
1873（M6）	高島坑夫400余人暴動。死者８、脱走約30人。ⒷⒸ
1878（M11）	高島坑夫賃上げを要求して暴動。100余人逮捕。ⒶⒷⒸ
1880（M13）	高島坑夫数百人が暴動。ⒶⒷⒸ
1882（M15）	三菱高島坑夫前借棒引き恩典措置の不平等を不満として暴動。Ⓑ
1883（M16）	高島、数百人が減給に反対し暴動。死者７。ⒶⒷⒸ
1885（M18）	高島、賃下げに反対して紛議。ⒶⒸ
1887（M20）	高島、新規抗夫が入坑せず集合。Ⓑ
1888（M21）	高島炭坑の坑夫虐待が社会問題化。Ⓑ
1889（M22）	高島、新規抗夫が募集係の約束不履行を不満として騒擾。ⒷⒸ
1889（M22）	**端島**炭坑、坑夫賃上げ要求し怠業。ⒶⒷ
1892（M25）	三菱**端島**、坑夫200人が食事改善を要求して同盟罷業、39人逮捕。Ⓑ
1897（M30）	**端島**、坑夫約800人が同盟罷業。納屋頭２人を殺害。ⒷⒸ
1897（M30）	高島、納屋販売のタバコ高価を理由に入坑拒否。同盟罷業続発。ⒶⒷⒸ
1908（M41）	**端島**、坑夫暴動。Ⓑ

資料：Ⓐ長崎県労働運動史年表、1972、長崎県評編。Ⓑ筑豊石炭鉱業史年表、1973、田川郷土研究会編。Ⓒ日本労働運動資料。

礦長が校長を兼ねる）が設置されていることは注目してよい。

　坑夫の雇用形態は納屋制度とよばれ、大納屋（独身坑夫）、小納屋（世帯持ち）の納屋頭が三菱の下請として労働者を供給し、各人は納屋頭に雇われるという原初的な搾取形態であった。労働者の雇用状況については次の資料がある。

＊資料：筑豊石炭鉱業史年表　228頁
原典は日本労務管理年誌・労務管理史料編纂会　S37〜39
三菱端島労働状況（1907（M40））3〜8月頃）
①坑夫募集人は応募者1人に付3円ずつの手数料を得る。炭坑を楽園の如く吹聴し、世人を欺瞞。
②坑夫は何れも故郷忘れ難く、募集人の舌端に欺されたるを悔いている。
③会社は淫売婦を雇い随所に淫売店を開業させ更に賭博を奨励。
④坑夫はあわれこの陥穽に落入り、前借の弱身に自由を縛し去られている。

　また、当時の状況についてわれわれがお話を伺った高比良勝義氏（明治37年端島生れ。元端島鉱員。のちに職員）は次のように語る【5】。

「納屋には全体をとりしきる勘番（カンバ）がいて、巧妙な前貸制度と暴力によって「圧制」をしいていた。職種別の差別意識がもちこまれ、とくに坑内夫（採炭夫）は坑外夫（保安仮設）より一段低い存在として差別された。

　はだか一貫でとびこんで来た坑夫が、その日から酒をすすめられ食べさせられ、それがすべて前貸となって借金が雪ダルマ式にふえる仕組みであった。したがって一度島に入ると絶対に抜け出せず一生飼い殺しにされた。島から泳いで逃亡（ケツワリ）を企てても対岸に監視員がいて長崎の町に出る手前で必ずつかまえられる仕組みになっていた。リンチは日常であったが、そういうときには半殺しの激しいものであったと子供心に覚えている。」

　隣島高島炭礦は「二度と帰れぬ鬼ヶ島」と呼ばれ「川筋男で名の通った筑豊方面の者たちさえ、高島と聞けば身を震わしたという」【6】圧制がしかれ、その労働と生活の実情は1888年（M21）三宅雪嶺が主宰する雑誌「日本人」6〜14号に同炭礦の勘場役をしていた松岡好一の『高島炭礦の惨状』を始めとする一連のキャンペーンで世に知られ、また記録に残っているだけでも表2のような暴動争議が起っている。

「雇用形態は、『……こうして不正手続きにたずさえ来たれる坑夫を分割し、各自その小屋に留め置き、非常の労働に服務せしめ、炭坑社は、その賃金を直接坑夫らに贈与せず、納屋頭に下付することとし、坑夫中より炭坑社に苦情を訴うることを許さざるなり』（吉本襄「高島炭坑々夫虐遇の実況」）といわれ、その労働の実情は「気候は地底に下るにしたがいようやく炎熱になり、もっとも極端にいたれば寒暖計120〜130度［50〜55℃］となる。」という坑道のなかで『坑夫の就業時間は12時にして、3000の坑夫を大別して昼の方、夜の方となし、昼の方は午前4時に坑内に下り、午後4時に納屋に帰り、夜の方は午後4時に坑内に下り、翌日午前4時に納屋に帰る。その坑夫が12時間とるところの労働苦役は、まず第一に坑内1里［4㎞］、2里の所に至り、背丈も伸びぬ炭層間に屈歩曲立し、つるはし、地雷、火棒などをもって一塊、二塊と採炭し、これを竹籠に盛り、重量15、6貫ないし20貫［75㎏］なるを、這えるがごとく、とぶがごとくに1町［約100ｍ］、2町と荷いつつ、蒸気軌道に運ぶなり。その他岩砕《いわくだき》、枠入れなどの危険なる業、門看《もんかく》、風回《かぜまわし》などの煩悩なる役ありて、実に

写真5　アパート屋上庭園

目も当てられぬ光景……』（松岡好一）であった。

そして作業中は、一分一秒の休みも与えられず、『汗は流れて総身洗うがごとく、空気は少量にして呼吸ははなはだ苦しく』また『小頭、人繰りをして採炭の個所を巡回、監督』しているので、しゃがんで休むこともできなかった。

しかもこうして働いた坑夫らは、賃金を貰っても食費その他の名目で納屋頭にしぼり取られ、借金はふえるばかりで、『父兄、親族が金を持ち来たりして納屋の負債を償い、その身を購い』、連れ帰らないかぎりここから抜け出す道はなかった。だが郷里へ手紙を出すことは許されず、そこで「脱島」をくわだてずにはいられなかったが、懲罰はひどかった。

『……少時も怠る者あれば、（小頭か人繰りが）提携の棍棒をもって殴打、苛責せり……。また坑夫過度の労力にたえずして休憩を請い、あるいは納屋頭、人繰りの意に逆う者あるときは〝みせしめ〟と称し、その坑夫を後手に縛り、梁上につりあげ……打撃を加え、他の衆坑夫をしてこれを観視せしむ。また坑夫あり、坑業にたえずして脱島を図り、事成らずして海岸取締員、もしくは人繰りの手に捕えられるや、海岸取締員、人繰りは、その脱島未遂の坑夫を懲戒するに、あるいは打ち、あるいは倒し、あるいは釣り、……』（松岡好一）

「逃亡坑夫をさかさまに釣り下げ、生松葉をくべていぶしあげ、苦痛の叫びをあげると、声のそとにもれるのをおそれて口を縫い閉ぎ、肛門に薪木を突きさし、ついに殺してしまったりした。」【7】

それはまさにわが国資本主義が労働者の血と脂をすすりつつ巨大な怪物としてこの世に登場しつつある過程であった。

(2)戦前高出炭期　1914頃～1945（敗戦）

1914年（T3）新炭層採掘に着手以降、深層部開発の進行と技術革新（長壁式採炭法などとよばれる）が行われ、出炭量は増加して1941年（S16）には史上最高の年産41・1万トンを記録する。高出炭は1945年の敗戦まで継続する。

この時期、労働者の雇用形態は納屋制度が大きくゆれ動き、ついに全廃、直轄雇用制へと移行し外見的な「近代化」が進行する。納屋制度の廃止は三菱高島が全国的にも最も早く、1897年（M30）に決定している【8】のに比して端島は遅れ、世帯もち坑夫（小納屋）の直轄化は1916年以降のRCアパートの建設とともに進められたが、単身坑夫（大納屋）の直轄化は1930年（S5）の最初の直営合宿所建設【9】まで遅らされ、さらに全廃が実現するのは、1941年（S16）ごろになる【10】。

納屋制度の廃止は、全国的な労働運動の高揚と炭鉱労働者のあいつぐ暴動・争議に対して、権力的なやり方だけでは対処しえなくなった経営者の側の一定の譲歩であったが、同時に二重搾取の雇用制度と非人間的な労働環境、生活環境そのものが、生産をより拡大するうえでの桎梏《しっこく》となり始めたからに他ならない。

しかしかわって登場した直轄寄宿舎そのものもきわめて拘禁的かつ封建的要素をつよくもっていたことにかわりはなく、「1室わずかに3畳或は4・5畳の狭い部屋に入れられて、千に余る坑夫が豚の如き生活をしてゐる」という隣島高島の状況【11】（1918年）にほぼ類似あるいはそれ以上に劣悪な状況にあったと思われる。さらに1916年（T5）には少年および婦人の坑内使役の試みが始められ【12】、また大正中期から朝鮮人労働者を坑内夫として使役することが、「内地人の不足を補充する」という理由で始められ【13】、1939年（S14）の朝鮮人炭坑労務者集団移入の許可【14】によってそれは一層本格化し、最重労働の採炭夫のほとんどが朝鮮人に置きかえられる【15】。さらに1943年（S18）より中国人捕虜に対する強制労働が行われる【16】など、その原初的かつドレイ的搾取体制は敗戦の時点までほとんど本質的には変化することなく継続する。朝鮮人坑夫は納屋に入れられ、中国人は南端部の囲いの中に拘禁されていたという【17】。

端島における朝鮮人、中国人の強制労働の実態はこれまでほとんど明らかにされておらず、また関係者はこの問題についてきわめて口が重い。会社側の資料については、1956年の台風災害で会社事務所の一部が流失し、書類は全く残置していないと述べる。わずかに最近行われた朝鮮人強制連行調査（1974．4．28）によって、敗戦時端島礦にいた姜道時さん（60）の次のような証言が得られている。（長崎新聞、74．4．29）

「姜さんは昭和15年約2000人の同胞と一緒に石炭船で樺太に運ばれた。三菱・塔路炭鉱で4年間働き妻子も呼びよせた。ところが19年9月、樺太の炭鉱整理で端島への配置転換を命令され、妻子を樺太に残したまま約100人の仲間と端島へ来た。

寮に入れられ1日2交代の重労働。労務係の監視が厳しく、疲れて仕事に出なかったり、家族への手紙に島の実情を書いたりするとすぐ連れて行かれた。労務事務所前の広場で、手を縛られたままの朝鮮人を3人の労務係が交代で軍用の革バンドで殴った。意識を失うと海水を頭から浴びせて地下室に押し込め、翌日から働かせた『1日に2、3人がこうしたリンチを受けていた。屋外でやったのは私たちへの見せしめのつもりだ。とても口では話せないぐらいひどいリンチだった』と姜さんは語った。」

島内人口は、1920年（T9）の国勢調査時人口の筆者推計値3271人、25年同2670人、30年同3290人、35年同3231人、40年同3333人、45年同1656人である。（国勢調査は高浜村を単位とする人口記録しか残置しておらず、たまたま野母崎町役場に旧高浜村本村名の人口統計が残置していたので、これを差引いた数値を端島人口とみた。）1945年人口1656人は、高島町資料の1945年人口4022人と大幅に異なるが、敗戦時の混乱した統計であるためいずれが正否か確認しえていない。（表1）

また人口構成の資料としては1937年の会社案内パンフレットがある。（表3）この時点ではすでに納屋は1～2軒に減っていたとのことである【18】。

〈住宅〉

端島の住宅建築のRC高層化の進行は、納屋制度の漸次的廃止と歩調を合わせて進められたと推測されるが、端島礦資料【19】によれば、まず1916～21年の間に世帯向けRC労務者社宅が集中的に建設されている。

島内最初のRC高層建築で1916年（T5）建設とされる30号棟（図4）は、「グラバー氏の設計」と称されているが、それが高島炭礦創始者のイギリス人 Thomas Blake Glover（1838～1911―有名なグラバー邸主人）であるかどうかは定かでない。グラバーは1870年（M3）頃生糸相場に失敗して高島炭礦を手放しているが、

表3　三菱高島礦従業員数（1937年8月末現在）

	二子坑（高島）	端島抗	合計
職　員	145	99	244
同家族	463	304	767
労務者	1,641	1,499	3,140
坑内夫	(957)	(987)	(1,944)
坑外夫	(684)	(512)	(1,196)
同家族	2,044	1,256	3,300
合　計	4,293	3,158	7,451

その後1881年高島が後藤象二郎の手を経て三菱の岩崎弥太郎の手中に移るとグラバーも三菱に属し、海外むけ高島炭販売の総責任者として活躍していたとあるから【20】、まんざら関係がないわけではないが若干年代のズレが大きい。他にグラバーという名の外国人は数人記録されているが、T・B・グラバーの息子の倉場富三郎（トミー・グラバー、1870〜1945）はホーム・リンガー商会に属し、出島の内外クラブの建築設計を自ら行ったとある【21】ので、この人の手によるものかもしれない。

この建築は当時一段低い立場に置かれていた坑内夫の世帯向け住宅として計画され、ロの字型プランの外周にぎっしりと6畳一間の小住居を配した、便所、炊事場共用、日照無視の高層アパートであり、建築当時からその評判はかんばしくなかったとのことである。とくに問題はその狭さにあり、すぐ後に建った（1918年）16〜20号棟（図5）の方は6畳＋4・5畳を基本とする一定の広さを確保していたが、これは坑外夫むけであって、坑内夫と坑外夫の歴然たる住宅差別がそのままRC化されたのであった。

30号棟は建築構造的にきわめて明快なラーメン構造であるが、四つの板状アパートでロの字を構成する平面計画と、柱径を上階ほど細くするキメ細かさは技術的にかなり高いレベルのものといえよう。なおこの両アパートに限らず島内のRC建築物の大半は海砂をつかった海水コンクリートであったといわれ、内部で腐蝕した鉄筋の膨張で、夜中に柱や梁が大きい音を立てて割れたという話も聞いた【22】。

住宅水準低下に対する唯一の歯どめが1927年（S2）に公布された「工場・寄宿舎管理規制」であったが、時折巡回してくるにすぎぬ監督官庁の眼の届きうる範囲は限られており、しかも同規則自体がきわめて生産至上主義的であったことは言うまでもない。

〈住生活施設および島内生活管理体制〉

戦前段階で島内生活関連諸施設の整備がどのように進められたかは明らかでないが、すでに1937年（S12）には、教育、医療保健、商業娯楽等の各施設は相当のレベルで整備されており、外勤係員も設置されて、居住地管理体制が確立されている。一方官製労働組合ともいうべき三菱協和会が設置され、管理体制を末端まで浸透させる役割が与えられている。これらは（別添資料－1）に示すとおりである。

(3)戦後高出炭期　1945〜1964

敗戦は端島居住者に衝撃的な影響を与えた。まず朝鮮人および中国人の俘虜および被拘束労働者はそれによって拘禁的状態から解放された。各地の炭鉱で蜂起が相次いだが【23】、端島の場合は穏やかであったということである【24】。同時に前借制度で一種拘禁状態におかれていた坑夫合宿所の単身坑夫たちにとっても、島外への離脱は容易に可能となった。

朝鮮人・中国人の至急送還と敗戦直後の生活困難による労働者の島外離脱により、端島は一時的に人口が激減した。

しかし、まもなく石炭生産緊急対策要綱の閣議決定（1945.

10）による復興資金の供給、国策によるコメの特配、GHQによる輸入砂糖の出炭奨励特配の実施（1948）等の優遇措置と復員者の帰還によって、端島の人口は逆に急増し始める。1948年には4500人を超えその後も徐々に増加して1959年に史上最高の5259人を記録するが、1954年ごろから始められたエネルギー転換政策（石炭生産の合理化政策）が深化するなかで発生した1964年の九片治層坑道の自然発火事件は、下部区域の水没放棄、一時休業、人員整理および配置転換へと進み、島内人口の急減少が起る。すなわちこの期の終えんである。

一方、石炭の出炭量は人口の増加と比例して伸びるが、総量そのものは年間30万トンには至らず敗戦前よりもはるかに少ない。これは労働組合の誕生、憲法および労働関係諸法の成立によって長時間労働から労働者が解放されたこと、掘進の容易な炭層は掘り尽くして、作業能率が低下したこと、さらに戦前の国調人口統計の精度そのものに問題があり実数より少ないという可能性を否定しえないこと等によるものであろう。

戦時中の「産業戦士」思想による労働の強制は不可能となり、また1946年（S21）には早くも労働組合が結成されて、労使関係は新しく展開し始める。労働者の賃金は「炭坑景気」と労働組合の闘争により、他産業に比して相当高い水準にいち早く到達し、それが島への

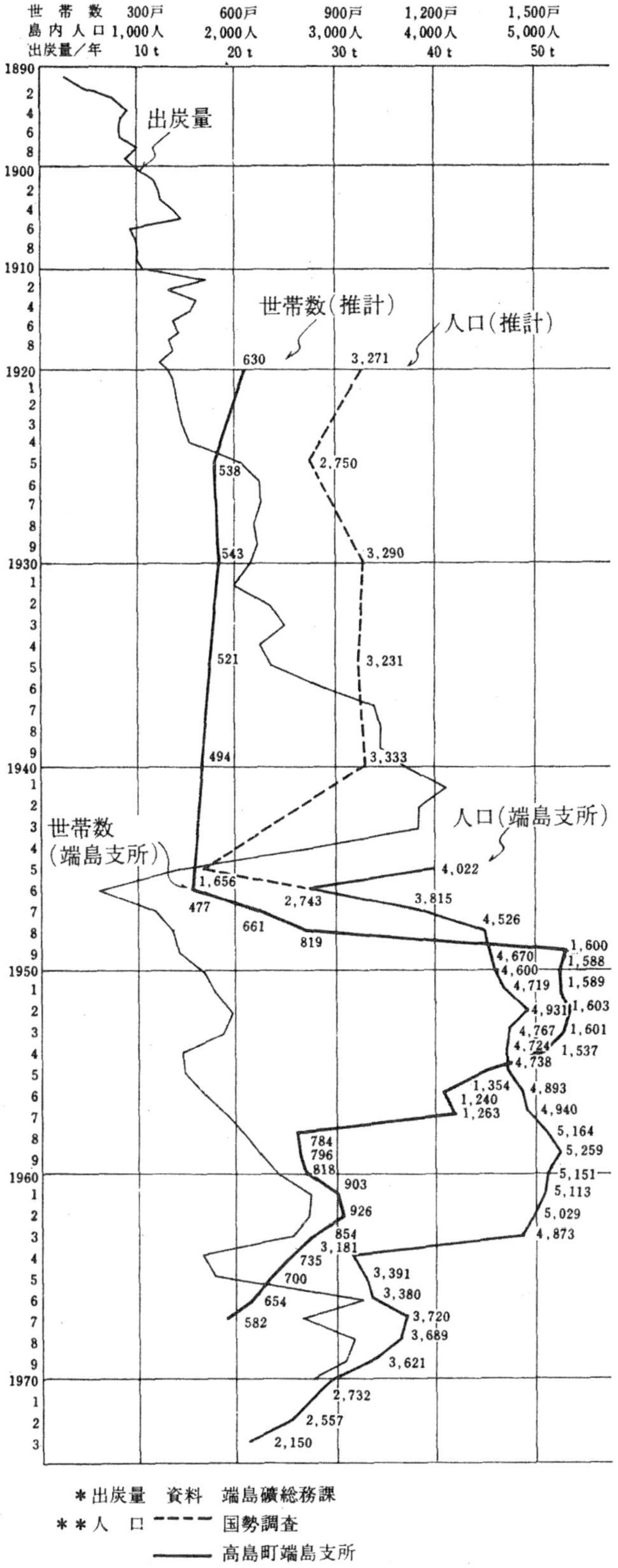

図3 島内人口と出炭量の年次変化（筆者作成）

転入者をふやして島内の住宅不足は深刻さを増す。そこで労使間の最大の問題のひとつとして、「稼働率（実労働出勤率）」と「住宅不足」が浮かび上ってくる。

すなわち「稼働率」は賃金の上昇とともに低下する。1954年（S29）のルポ「軍艦島の生活【25】」（西山、扇田）によれば、当時採炭夫の日当がふつう600円ぐらい。つめて働いて1000円というときに、独身寮費が食費共月額1500円であるから、「食うだけのことなら3〜4日働けばよい」という状況が生れている。当時の平均稼働率は65〜75％であった。

生産施設として企業が所有するところの限られた数の住宅に居住しつつ、「稼働率」が悪いというのは高価なケージに飼ったニワトリが卵を生まないのと同じで、企業にとっては堪え難い状況といわねばなるまい。

深刻な住宅不足が、家族持ちではなく独身者を多くとるという方針を企業にうち出させ、寮の6畳一室に5〜6人を詰め込むという生活のなかで、独身者自身が、食う、遊ぶに必要な分しか稼ごうとしないという一種「退嬰的な」風潮（企業の立場で）が生まれ、また坑夫の流動も月に30〜50人と異常に大きくなってしまうという一種の「悪循環」が発生したと企業はこの問題をとらえている。そこで対策としては、「むかし炭鉱がやっていた掛売制の採用」「安定してよく働く家族持ちをふやす」「設備の機械化による合理化」などが考えられているが、労働組合との関係と家族持ちのための住宅供給の問題という難関があってなかなか実現しそうにないのが実態であると、同ルポは伝えている。

この期における生活環境形成において、1946年の労働組合の結成はたしかに画期的事項といわねばならない。「解放軍」GHQの指導のもとに全国的に労働組合結成が進められたわけであるが、結成と同時に会社側と締結した労働協約は、「労使相協力して産業平和の確立、鉱業の復興と経済の興隆」をうたいあげるきわめて協調的性格であった。協約はその後何度か改訂され、組合も上部団体との関係を何度か変更するが、端島労組の場合ほぼ一貫して最後まで「協調路線」を通したとされている。

最初の労働協約では①組合の確認、②ユニオン・ショップの確認、③労働条件・保安能率・福祉厚生各委員会の設置が取り決められ、生活環境問題は福祉厚生委員会の最大の協議事項の一つとされた。ユニオン・ショップ制をとることで〔組合員＝会社従業員〕→〔組合から除名＝会社は解雇する〕の企業内組合活動の地盤が保証されるとともに、組合活動自身が管理化された中での福利厚生獲得へと傾斜する。これが1950年のレッドパージで中執〔労働組合の用語で中央執行委員会のこと〕を含む6名の解雇容認（当時の情勢としてこれは止むを得なかったとはいえるが）へとつながったことは否定しえない【26】。

住宅不足の解決は労使とも最大の問題であり、当時組合員の大半を占めた単身者の寮問題に関しては寮委員会の設置、世帯持ちのための社宅問題に関しては社宅運営委員会が設置され種々協議が進められる。復興金融公庫の炭住建設融資等によってコンクリート・アパートの新築が進められるが、その間にも人々は増え続け「社宅申込みをしてから2〜3年待たねばならない」【27】状態は1955年頃まで続く。

社宅に関しては入居の公平を期するための「社宅入居割当点数制」が早くも1947年6月より実施されるが当時の資料は現存していないためのちの改訂版（1958．7．12）を資料としてあげておく。

（別添資料－3、4）

生活上の諸要求は、寮の場合は組合内に寮対策部を設置してまとめ、

図4　30号棟図面

図5　16 ～ 20号棟平面図

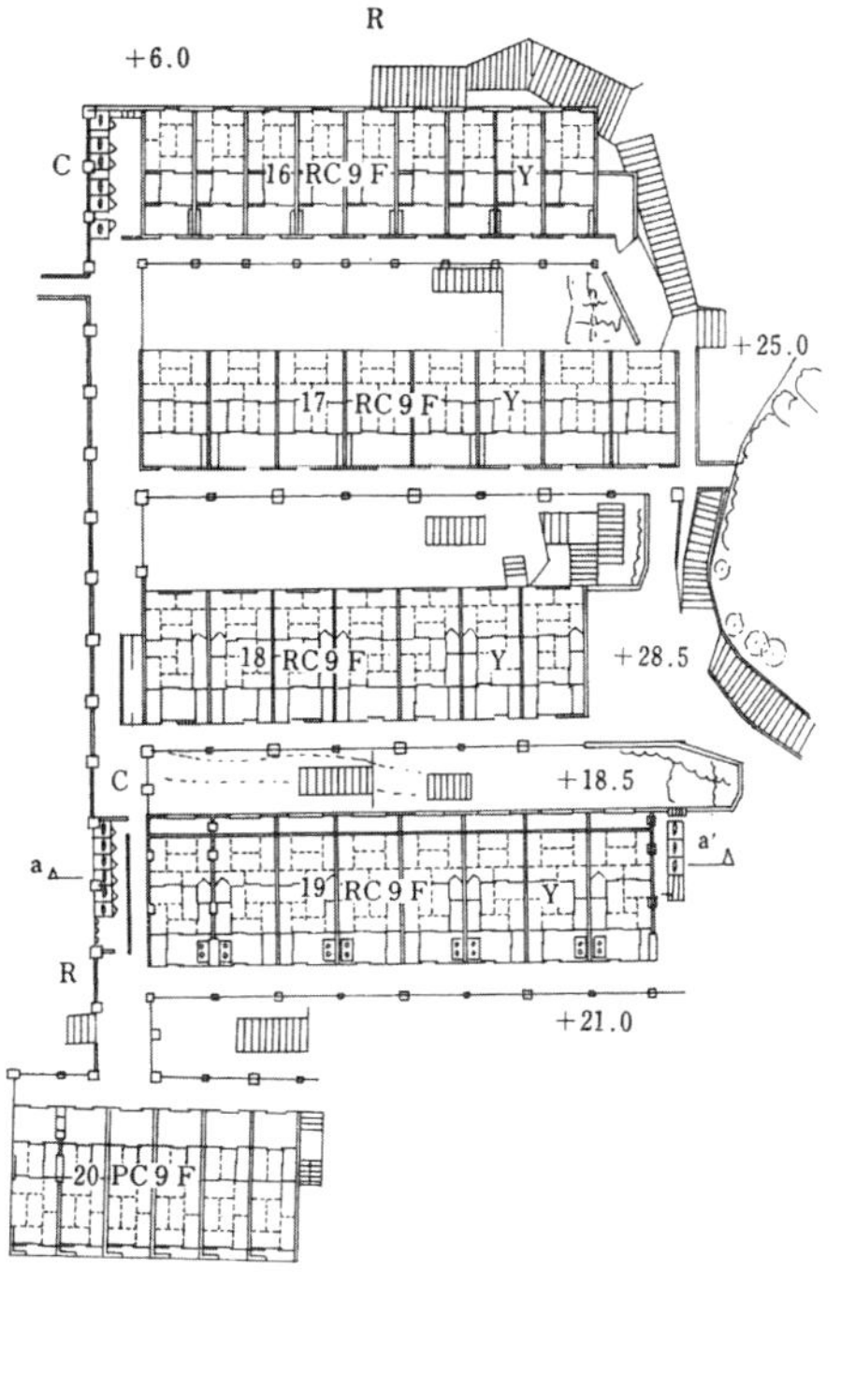

図6　19号棟断面図

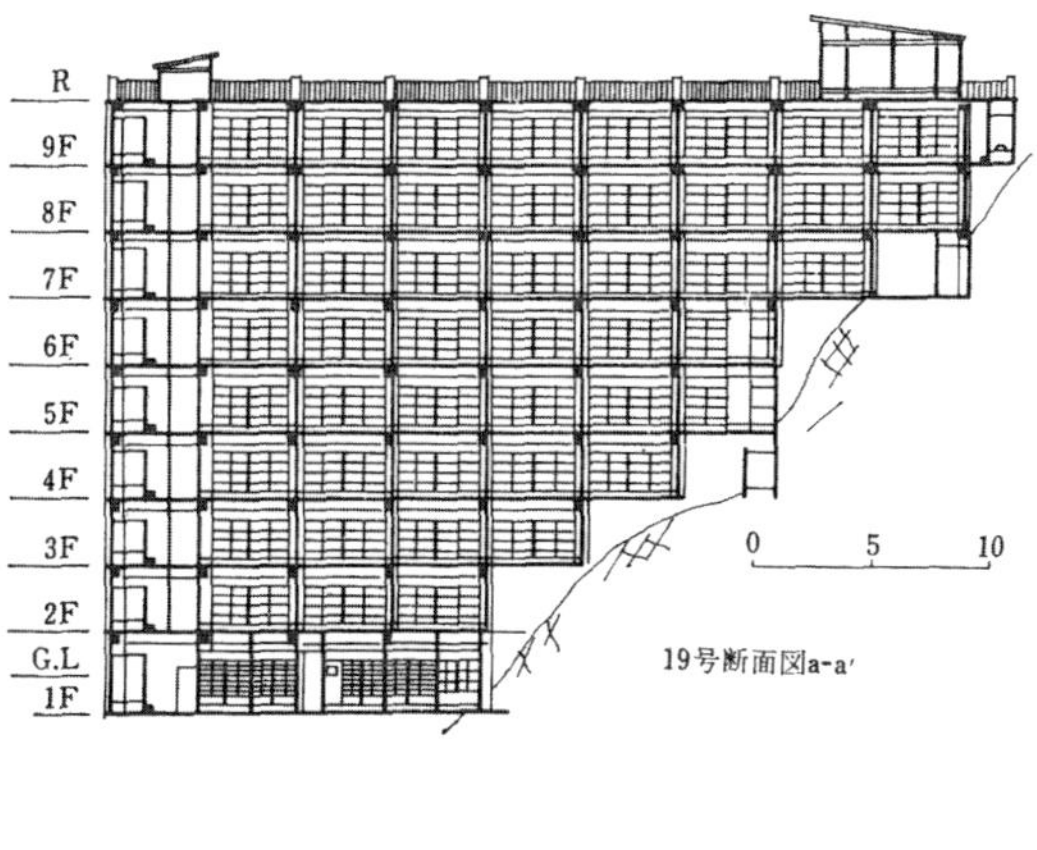

社宅については100～150戸単位の居住区（棟別、階別）を設定し、それぞれに地区委員を選出して、労組社宅協議会（地区委員の集まり）に要求を結集し、これらをもって組合は交渉および協議にのぞむという方式がつくられた。したがってその交渉内容は、組合員にとっても家族にとってもきわめて身近な内容であり、例えば「社宅の台所の流し台の高さを上げること」「遊び場にブランコを設置すること」等について、それぞれ会社側の回答を引き出している。（別添資料－5）

行政区画は、1955年（S30）町村合併促進法により、高浜村が野母崎町に合併した際、端島のみ分離して高島町に合併。これによって旧高浜村の財源の90パーセント近くを占めていた端島からの税収は高島町に移行し、三菱資本は非常な利便を獲得した。

（住宅） 戦後のRC住宅の建設は、1947年の65号棟の増築（6～9階）から始められ、鉱員用6＋4・5畳、共同便所、共同洗濯場方式。

その後の建築状況は年表（表－1）に示すとおりである。住宅階層構成における露骨な階層区分、すなわち管理職および上級社員が居住性においても住宅面積においても抜群に良好な住宅に入り、下級社員、鉱員それぞれが居住性の良くない、また居住面積の極端に狭い住宅を供給されるという関係については、組合内で平準化要求を議論したこともあったとのことであるが【28】、結局労働組合にとっては一種のタブーとして、これにふれないで来ている。

（住環境施設） 主たる公共・共同施設の整備状況は次のとおりである。公衆電話の架設（47年）、町役場支所新築（52年、上階に公営住宅）、端島プール完成（52年のち改築）、可動桟橋完成（54年のち数度の改築で今日に至る）、海底水道完成（57年）、小中学校新校舎完成（57年）、野母商船運航開始（62年）、公民館完成（64年）、

このうち、島内生活を飛躍的に改善したのが1957年の海底水道の完成であろう。水道完成前、端島の1日の使用水量は450～500トンと言われ、島内施設として2100トン容量の水槽があり、350トンのタンカーが毎日3杯出入して貯水。この水源を長崎市土井ノ首水源池に求めていた。海上距離約10㎞を運ぶため当時で原価トン当り100円についたという。海が少し荒れると給水船は欠航し、2100トン水槽では満杯で4日しか保たない。そこで海が荒れると風呂は海水風呂になり、真水の風呂は中止される。最高記録は7日間給水が途絶えたことがあるとのことである【29】。

また敗戦後にもなお拘禁的状況から解放されることなく「カゴの鳥」的生活を強いられた売春婦は、最盛期30人を越え3軒（のち2軒）の売春宿で売春防止法成立までその不幸な状況から形態的にも脱することができなかったとのことであるがその詳細は明らかでない。

(4)再建・終結期　1965～1974

三井三池を中心とする炭労の「政策転換闘争」は、1960年の安保条約をめぐる全国的な労働運動の高揚と相呼応して国民の注視を集めたが、石炭から石油へというアメリカの世界支配政策に従属したわが国独占資本のエネルギー転換政策をうちくずすことは出来なかった。閉山は九州・中国・北海道の中小鉱山から大手に及び、一方大規模な炭鉱災害が相次いだ。このようななかで、1964年8月、端島礦は深部区域を放棄し、65年10月に新炭層から出炭するまでの間石炭生産を全く中止していた。島内人口はこれによる人員整理と配置転換によって大幅に減少し、島内の住宅不足問題は一挙に解決した。

1965年の出炭再開は会社側のみならず端島の労働者とその家族

すべてにとって大きい喜びであった【30】。人口はやや持直し1967年には3720人となるが、再び下り坂をとり、閉山直前の1973年では2150人である。

しかし、新炭層からは機械化採炭が本格的に採用され、一人当りの出炭率は飛躍的に向上し、年間出炭量も30万トンとなり、とくに閉山直前の72年は35万トンと、戦前高出炭期の水準に近い出炭量を示す。

施設的にみた場合、この時期はまさに端島住民にとって「シビル・ミニマムの完全充足期」と呼びうるのではないかと思われる。たとえば市民施設についてみるならば、（住居周辺）（地域社会）（地区）の各レベルにおいて充足されるべきとされている各種施設（松下圭一『都市政策を考える』岩波新書1971、131頁の表）のうちで、島内で充足されていないものは、わずかに児童図書館、図書館分館、盛り場、福祉施設である。前二者については公民館と学校がある程度カバーしているので、実質的には後二者が「不足」ということになろう。

同表でいう（都市）レベルでの施設については、1日9便の連絡船が長崎の都心部と1時間20分で結んでいるのでほぼ問題はない。地区レベルで生活のほとんどが完結すべきであると考えるならば、問題は福祉施設の不足に集中し、これについては「他より高い賃金水準」でカバーしていると見做せないでもない。各施設の充足度も、広々とした公園こそないが、すべてが身近なところに存在しており、客観的にはかなり高い充足度を示しているといえる。

しかも、住宅については、かつての階層構成を基本的には残置しつつも、労使協議によって次々と改善の手がうたれており、家族数の大きい世帯を対象に、2戸分を1戸に改造したり、住みかえを進めたりして問題を解決している。ちなみに職員、鉱員の場合の住居費は、家賃、電気料金、水道料金、プロパンガス代合計で月額10円ということである。

「職住近接、シビル・ミニマム充足、住宅問題解消のすべての実現をもって『理想郷』と称するならば、まさに端島はそのとおりの島であったといえよう。

閉山については、1970年の端島沖開発中止により、会社側は鉱命終了期を発表、組合側も独自の調査団を結成して調査の結果それを確認、1973年9月閉山の通告をうけて組合は条件闘争に入り10月妥結。12月末で採掘終了、74年1月15日、正式に閉山した。

解雇された鉱員労働者とその家族は、「他炭坑よりはるかに好条件」と称されるなにがしかの退職金を手にこの「住み良かった」島を追われ、全国各地へと散った。しかし、インフレは退職金の値打ちを急速に下げるであろうし、彼らが端島において獲得していた生活の安定を他の地で継続することは、客観的に見てほとんど不可能のように思われる。それはいみじくも端島において外見的に実現していた「理想郷」そのものが、真に人間が要求するものではなかったことを証明しているのではないか。以下、端島の生活環境とくらしの問題をやや詳しく追ってみよう。

2.「軍艦島」の空間構成と住生活施設

（1）土地利用と空間構成（「再建・終結期」）

島内土地利用については、全島社有地という関係からとくに精度の高い平面図が存在しなかったため、会社提供の1／600平面図および各建物平面図一式とをもとに全体平面図を作成（約1／200）図上概測した。（1973．11）

島全体面積が６３８３０㎡で、うち40%が鉱場、残り60%が住生活用地である。住生活用地より学校、病院、プール、大法面などを除いた面積をネット住居面積として、それぞれ計算したものが**表４**であり、容積率は島全体が１２４・５%、住生活関係で１８２・６%、住宅用地で２３２・０%、建ぺい率が各３８・６%、４４・３%、４１・６%となっている。

(2) 住宅

①階層別住宅区分

島内の住宅は社宅および公営住宅の2種類に限られている。社宅については原則として棟別に入居者の階層を区分しており、公営住宅には公務員、教員が入居している。

地域的には日照条件、眺望、潮風の関係から島内中央部高地一帯が最も居住条件が良いとされ、そこに職員層のための比較的居住性の良い住宅が集中的に建築されている。一方、林立する高層住宅の下部は日照条件が極端に悪く、また海岸沿いの建物は潮風の影響をうけるためこれまた居住条件が悪い。鉱員、下請労働者の住宅は、このような地域的に恵まれぬ条件のところに建てられており、しかも住宅の大きさは職員住宅に比して極端に狭く、居住性も悪い。高層アパートでは高層階が比較的居住性が良いとされ、かつては勤務成績の良いものが、労働組合結成後は勤続年数と家族数を基本とする点数の多いものがそこに入っている。

すなわち、島内の住宅階層構成は実は見事に高さ（コンター）に表現されているといえよう。**（図7）**ランクの高い順からこれをみると、

a―職員住宅

ほぼ中央部高地に集中。居住性によって1～4級にランク付され、役職の高いものほど良い住宅に居住している。礦長宅および管理職住宅（3号ＲＣ４Ｆ）が最高部に陣取っていて一般職員社宅がそれをとりまいている姿は、まさに軍艦の司令塔を思わせる。

b―公営住宅

職員住宅（3～4級）に隣接して2棟、住宅群から離れて学校のそばに1棟あり、いずれも日照条件、居住性は比較的良い。入居者は公務員、教員であり、地区区分およびＰＴＡ区分（後述）では職

表4　軍艦島の空間構成（1973.11現在にて作成）

	用地面積		建築延床面積	容積率	建築面積	建ぺい率
	㎡	%	㎡	%	㎡	%
端島全体	63,830	100.0	79,540	124.5	24,640	38.6
鉱場関係	25,150	39.4				
住生活関係	38,680	60.6	70,630	182.6	17,160	44.3
住宅用地	25,450	39.9	59,030	232.0	10,610	41.6

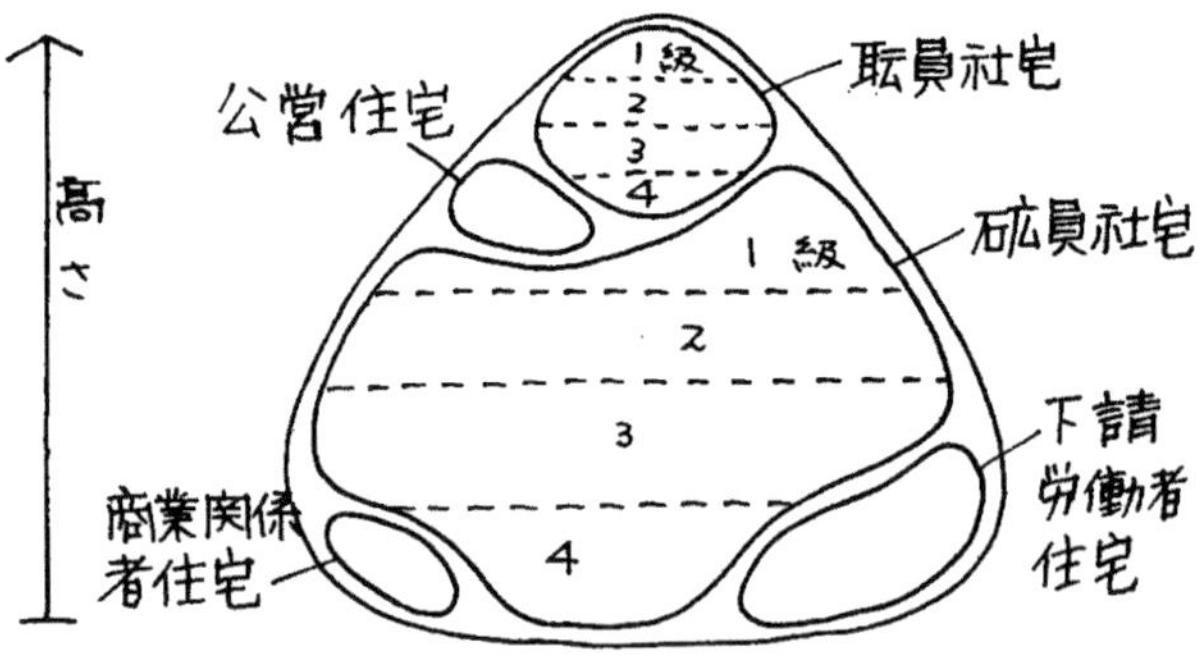

図7　住宅階層構成概念図

員住宅と一体とされている。校長は慣例として職員住宅の1級に入居している。

c—鉱員住宅

西北部斜面中腹より海岸沿いに至るRC中高層アパートが主で、居住性によってかつて1〜4級にわけられていた（1964年以前）が、住宅事情の緩和によって級別は公式には廃止された。しかし級別は現実に存在しており、広さと日照条件および個別便所の有無、老朽度等を基準として、どこはどこより良いというランク付け

表5　住宅階層構成戸数分布と対応世帯数

		建物号数	戸数		1973.9.7 対応世帯	
					世帯数	人口
**職員社宅	1級	3・56	26	95	41	120
	2級	2・8*・12・14*・21*・25・57*	45			
	3級	8*・9・11・14*・21*・57*	22			
	4級	21*	2			
公営住宅		B・22・ちどり荘		29	57	121
***鉱員社宅	1級	31*・48・59・60・61・65*	159	784	520	1,796
	2級	31*・51・65*	191			
	3級	16〜20*・65*	257			
	4級	16〜20*・65*	177			
下請労働者住宅		30・プレハブ	145＋α		30	69
商業関係者住宅			＋β		16	41
			1,053＋α		664	2,145

*各建物の一部。日照条件等で規定　**職員社宅のランク分け資料：端島砿業所　***鉱員社宅のランク分けは推定分を含む

表6　住点数算定基準

職員点数算定基準*	鉱員点数算定基準**
1. 給料点　$\frac{A}{56}\times 0.5$ 2. 勤続点　通算月数×0.5 3. 端島在勤月数×0.5 4. 家族点　満16才以上　20点 （1名）　6〜16才　20点 6才未満　10点	1. 年功点　勤続1日　1点 2. 本人及び家族点（1名） 満15才以上　25点 15才未満　15点

*　職員社宅入居基準 71.12　　**　砿員社宅入居基準 58.7

表7　住宅型別構成

型	室構成	戸数	構造	便所	棟号	職種
A	8+6+6+2+2	6	RC	有	56	職員
B	6+6+4.5+2+2	3	W	有	12	職員
C	8+6+6	20	RC	有	3	職員
D	8+6+3+2	8	RC	有	57	職員
E	6+6+4.5+2	6	RC	有	25	職員
F	8+6+3	15	RC	有	14	職員
G	6+6+3	20	RC	有	8・2・21	職、鉱
H	6+4.5+4.5	12	RC	有	13	公務員
I	6+4.5	12	RC	有	22	公務員
J	6+4.5	181	RC	有	31・48・51・65	鉱員
K	8+4.5	13	RC	ナシ	17・18・19	鉱員
L	6+6	122	RC	ナシ	65	鉱員
M	8+3	80	RC	ナシ	17・18・19	鉱員
N	6+3	26	RC	有	65	鉱員
O	6+4.5	45	RC	ナシ	17・18・19	鉱員
P	6+3	15	RC	ナシ	17	鉱員
Q	6+2	104	RC	ナシ	16・20	鉱員
R	6	288	RC	ナシ	19・30・65	鉱、下請
S	4	12	RC	ナシ	30	下請

は住民の熟知するところとなっている。
高層住宅は一般に高層階のランクが高く、下層階が低い。下層階のうち日照条件の極端に悪い部分は空室で放棄されている。
(1970年現在)
d—下請労働者住宅
海岸沿いと鉱場隣接のプレハブ飯場とRC7F建の老朽建築(30号1916年建築の日本最古と目されるRCアパート)であり、いずれも狭小で居住性はきわめて悪い。便所はすべて共用であり、防災的にもおろそかにされていた結果1970年6月の火災(プレハブ宿舎2棟全焼)では組夫2人が焼死するという事件が起っている。
e—商業関係者住宅
RC中高層アパートの下の商店の裏側に住居部分があり、居住性は劣悪。
②階層別戸数分布
階層別戸数分布は1964年の人員整理以降戸数に余裕が生じたため、居住性の極端に悪い住宅は一部放棄、あるいは狭小住宅の2戸合体による改造等が進められた結果判然としなくなった。ここでは1964年以前の時点での復元を試みておく。(表5)
職員住宅についての1~4級のランク付けは73年末まで入居基準に明記されていたが、鉱員住宅についてのランク付は65~66年頃に廃止されているので推定してあげている。表5において公営住宅に対応すべき公務員、教員が超過している分は職員社宅および一部鉱員社宅に入居している。
③住宅の住みかえ、転入居手続き
一般職員および鉱員については、職員組合および労働組合と会社側とで社宅運営委員会をもち、その場で一定の基準に基いて転入居希望者の審査決定を行うことおよび委員会の構成が組合側3、会社側3、計6名であることは先に述べた。

転入居の基準は点数制による高点者優先を原則とし、一方で住宅の級別ランク付を行い点数との対応関係(何点から何点までは何級という)を委員会の場で設定して、転入居の決定を行う。この方式は職員住宅の場合も同様であり職員組合と会社との間でとりきめを行っているが点数計算方法等に若干の相違がある。(表6)
④住宅のプラン構成
住宅のプランは表7および図8に示すものが代表的なものであり、A~Gが職員社宅であり3室以上、便所各戸別である。H、Iが公営住宅でこれに次ぐが、J~Rの鉱員社宅はすべて2室以下でしかもその半数以上が便所共用であり、R、Sの下請労働者住宅に至っては一室住居である。
⑤共同便所
全戸数に対する便所共用戸数の割合は8割を越える。建物別に清掃管理の状況が著しく異なり、下請労働者の30号棟はとくに悪臭がひどい。鉱員住宅の良く管理されているところでは各便室に名札が貼付してあり、1戸または2戸で一穴の割合になっている。水洗ではなく排水勾配をとって自動的にたれ流し、地下排水溝から処理槽をへて海に放流されている。したがって下層階ほど悪臭がひどい。
⑥共同浴場
各戸には風呂場が全くなく、中央給湯方式で居住区内に共同浴場が3ヶ所、その他職員社宅(3号20戸)、クラブハウス、礦長宅に風呂がある。労働者は出坑時に坑内風呂に入って炭じんを洗い落してくる。共同浴場はかつて職員風呂の区別があったが、労組結成直後の「差別撤廃」闘争によって解消した。

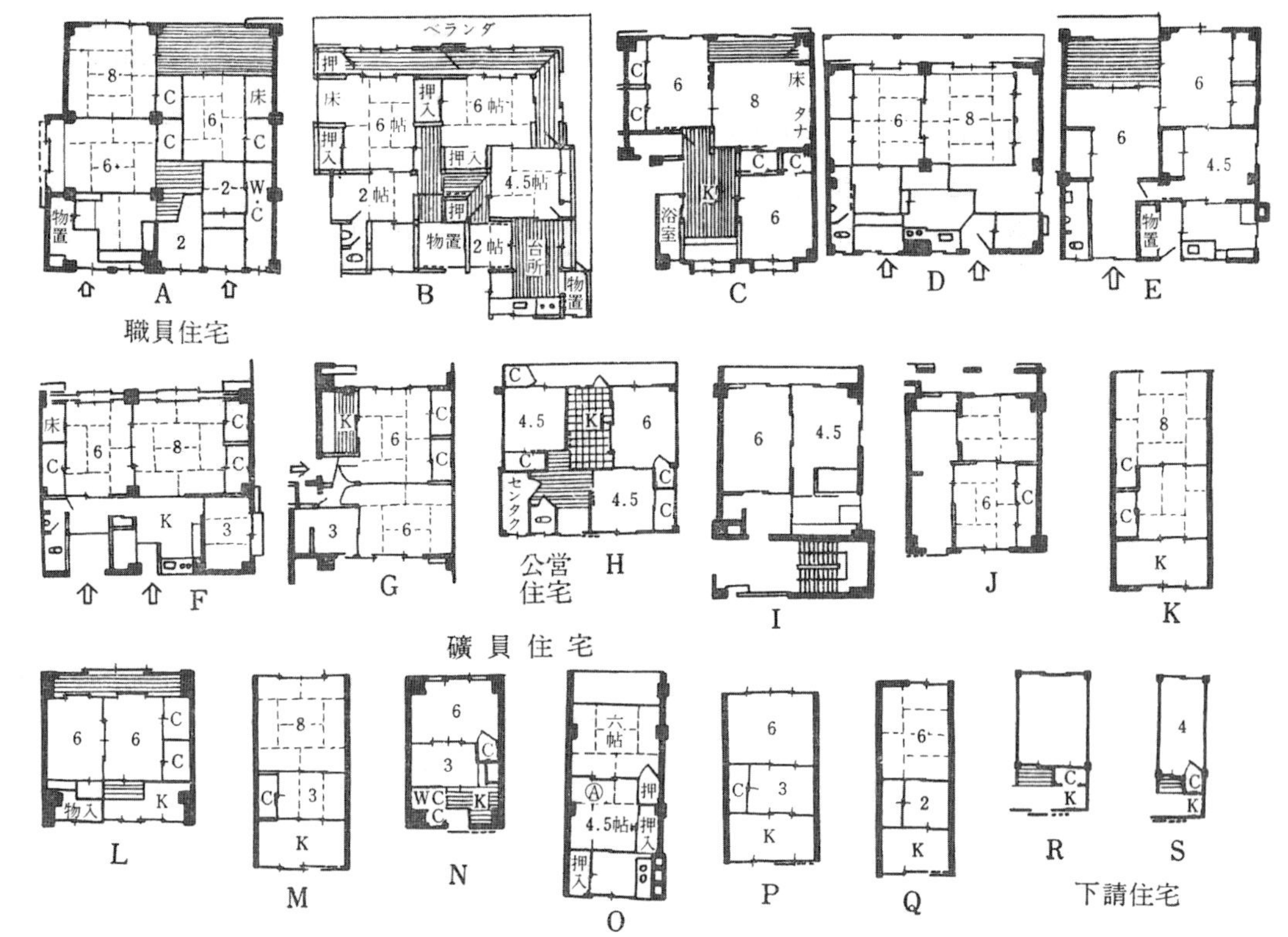

図8　軍艦島の住宅プラン

(3) 公共施設、厚生施設、商業施設

島内における主な公共施設、生活管理施設、厚生施設の配置は（図—1）の配置図に示してある。その他の特徴的な施設の状況をいくつか紹介しておこう。

①通路網、住棟間ブリッジ

島内の通路はジャングルジムのように立体的に住棟間を結んでいる。クルマの走れる主要道路は桟橋と住居地、鉱業所を一周する環状線ということになるが、一部トンネル部分は幅員2・5mしかなくめったに走らない。他は4m程度である。ちなみに島内には軽トラック2台しかない。歩行者は等高線に沿いつつ建物の中の通路、住棟間ブリッジあるいは山腹に設けられている歩路を経て、各所の階段、スロープを上手に利用して徐々に上下するという動き方をする。居住者用のエレベーターは1ヶ所もなく、ウバ車、自転車、三輪車、ショッピングカートの利用はほとんど不可能であり滅多に見られない。幼児をかかえた主婦、老人、病人、身障者にはきわめて暮しにくいという声は随所で聞いたが、島の面積が狭く、この上下移動以外にはほとんど動くことがないことと、隣近所に気軽にものを頼め、3交代勤務で主人の在宅時間も多い関係で主婦の困難はある程度解決しえているという。住棟間ブリッジは火災時、台風時の避難に有効であるとのことである。

②遊び場、レクリ施設

空間的な制約からレクリエーション施設は絶対的に貧しいが、会社側も生活にリズムをつけるために相当な配慮をしている。町営2ヶ所の遊園地のほかに通路や空地はすべて子どもの遊び場である。「ビーダマ広場」と名づけられている空間もある。屋上庭園は16〜20号の9階建アパートの屋上に設けられており、最盛期はここに畑や水田がつくられ、カボチャが鈴なりといった風景も見られたが、「終結期」にはベンチが数脚置いてあるに過ぎなかった。プールは町営で無料のため利用者が殺到するので区別に分け、10〜12時は1〜4区、12〜2時は5〜10区というように使用している。（区別については後述）、他に卓球場（健保組合所有）、テニスコート（同）弓道場（同）、グランド、体育館（学校）、映画館（会社）がある。映画館は定員400人、70年5月当時は1日おきに2本立上映、放映時間12時30分〜20時30分、福岡より直輸入で長崎の2流館より早いとされていたが、入場者数激減により70年末に閉館した。

③小中学校

1〜4Fが小学校、5〜7Fが中学校、体育館とグランドは小中兼用、校長も小中兼任である。1893年（M26）に会社立尋常小学校として開校し副礦長が校長を兼ねたが、1921年（T10）公立に移管、1934（S9）木造校舎新築、1958（S33）鉄筋コンクリート建築建設（この頃児童生徒数はピークに達する）を行って今日に至っている。70年5月現在中学校は2クラス×3＋特殊1の計7クラス、先生12名、生徒数235名、小学校は2クラス×5＋3クラス×1＋特殊1の計14クラスで先生20名、児童数524名。高校進学率は90％を越え、大学への進学者も少なくない。島に残る人は少なく、就職して定時制高校への進学という人が多い。この場合女子は京阪神、中京の紡績関係、岡山の包装工、男子は京阪神の鉄工、自動車関係が多い。

④保育所、保育園

9F建アパートの屋上に増築されており、屋上に遊園をもつ。当初会社立幼稚園として発足し、1937年すでに存在している＊。1949年高浜村がこれを継承して村立幼稚園として泉福寺をかりて再発足。保母3名。1952年65号棟10FにRC造新築移転、保育所として園児80名を預かる。

翌年公認保育園となり定員100名、保母4名、1954年定員150名、保母7名、1961年定員220名、保母8名、賄婦1名、1970年現在保育園60名、保育所30名、保母6名で共働き夫婦が多いのできわめて活発に利用されている。

（＊―1937年発行「三菱高島礦業所案内」）

⑤島外からの供給および連絡サービス施設

◎上水道――1957年に海底送水管が布設されて三和町為石浄水場から送水が行われている。水源は5本の堀井と長崎市鹿尾水系よりの分水で、送水管はφ150、L＝6500m、給水量は66年度で1人当1日平均320ℓ、給水量計1152㎥、うち工業用水1140㎥である。

◎電力――65年高島二子発電所（石油火力）より海底送電線で供給される。出力は2基合計26000kwである。

◎郵便他――65年の引受通常郵便物100728、小包1688、配達通常郵便物153438、小包2973である。電報は66年1日平均発信5・6、着信6・2通。

◯電話――71年現在加入29、うち有料単独24、構内交換2、郵便局公衆1、委託公衆2、1日平均取扱数、島外345通話。加入者は会社事業所の他島内商店、下請企業に限られている。

3．生活（再建・終結期における）

（1）人口および世帯の構成

表8　事業所別世帯人員数（1973.9 高島町）

職別		従業員	世帯	人員
端島鉱（直轄）	職　員	46	41	120
	坑内員	440	433	2,530
	坑外員	60	56	181
	臨時員	92	31	83
	小　計	638	561	1,914
下請10業者		174	30	69
商店24業者		71	16	41
その他		-	13	22

職別		従業員	世帯	人員
公務員関係	役　場	32	12	27
	小学校	18	9	19
	中学校	13	12	34
	給食公社	7	1	3
	郵便局	11	7	13
	警　察	2	2	2
	高島高校	-	1	1
	小　計	83	44	99
	合　計	966	664	2,145

表9　事務所別家族構成（1973.9 高島町）

	単身	2	3	4	5	6	7	8	合計
端島鉱	49	94	136	171	86	20	5	-	581
下請関係	12	8	5	2	2	-	-	1	30
商　店	3	5	4	4	-	-	-	-	16
公務員	18	7	10	8	1	-	-	-	44
その他	6	5	2	-	-	-	-	-	13
合　計	88	119	157	185	89	20	5	1	664

表10　鉱員世帯家族型別構成（1973.10 社宅入居台帳より作成）

	無夫婦		夫　婦			世代家族	合計
	単身	その他	夫婦のみ	+子（13才未満）	+成人子		
64年以前よりの居住者	10	7	27	3	171	32	250
64年以降来島者	10	2	13	17	148	11	201
合　計	20	9	40	20	319	43	451

＊寮居住者をのぞく

a—1970年5月における人口構成および労働力構成は次のとおりである。

①人口総数3304人（男1710、女1594）—会社しらべ——ただし人口統計については下請の組関係の流動が激しく、確定した数値は得がたい。

②労働力人口構成は、端島礦職員78人、鉱員567人、下請組職員13人、鉱員343人その他学校教員32人、公民館2人、役場吏員14人、警察、郵便局各2人他に商店主数人という状況であるがヒアリングが不十分であるため各家族構成まではわからない。

③共働き世帯が大変多く半数以上の世帯の主婦がなんらかのかたちで働いている。保育所はそのため満員である。例として次のものがある。

　購買会店員、商店関係、町の道路掃除、鉱業所関係（90数名）、下請組関係（事務、坑木運搬、炭車サビ落し）その他手内職、セールス、保険勧誘、ピアノの先生等。

b—1973年9月の閉山通告時における事業所別世帯調査（高島町端島支所）は、**表8**、**表9**、の通りであった。

c—1973年10月における鉱員世帯の家族型別構成をみると、半数を越える世帯が64年の人員整理時以前の世帯であり（島内で「ジゲモン」—土地の者—と呼ばれる）64年以降来島者世帯に比して世代家族の占める比率が大きい。（**表10**）

（2）労働者の状態——70年5月会社ヒアリング

a—鉱員の場合

　労働時間は3交代で1番方前7時30分〜後3時30分、2番方後3時30分〜後11時30分、3番方後11時30分〜前7時30分。昼間自宅で睡眠するときには「睡眠中」の旗を戸口に立てておく。労働者の平均年齢は全平均で40・6才、坑内夫40・4才、坑外夫42・0才、採炭夫38・0才である。

　賃金は鉱員で職員の課長クラスより多い人も大勢いて、採炭夫の場合25日稼働（25方〔かた—三交代制のため一日の稼働を「方」と言う〕）、30時間残業で手取り

8～8・5万円［／月］、一番安い坑内夫でも税込み6万円［／月］、多い人で10～11万円［／月］。（70年5月）、賃金内容は、固定給＋生産給＋島手当＋精勤手当（2150円～3600円／日）（16万以上の場合）ボーナス年2回、1回74500円（平均）である。

毎月の天引貯金で100万円以上貯めている人も多くいて、なかには1000万円以上という人もいる。三菱国民貯金という名で定期9分［9％］、普通7分2厘の高利息である。他と比較して端島の貯金率は高く、64年以降来島者の多くは「カネを貯める目的でなければこんな島へ来ない」という。

定年は55才で、坑内労務の場合は55才で「炭坑年金」がつく。厚生年金は60才からである。退職すれば島外退去となるので、多くの人は臨時夫として再雇用され島に残るが手取収入は年金プラスで減らない。定年までに貯蓄にはげみ故郷に家と土地を用意する人もいる。労働者の出身地は全国に及んでいるが九州が圧倒的である。

b―下請労働者の場合

直轄労働者に比して手取賃金が高いケースもあるが、法定外福利厚生面で劣る。すなわちプロパンガス（実費）、ふろ代（月200円）、家賃（月1200円位）、等の支払義務がある。契約は作業毎受取りで、いますぐ現金がほしいという場合によく、またいろいろ規則にしばられることがない点で気楽でもあり、佐賀県のみかん農家の主人などが毎月1回消毒に帰りながら働いたりしている。組の人は異動が激しく2～3年の人が多い。日当1800～2100円で、法律により採炭作業はできないことになっている。

c―消費生活一般

全般的にみて高収入を反映して消費生活は派手で、耐久消費財の購入に月賦販売がよく利用されているという。月賦に対しては区長の認可を要件として調整している。物価はとくに生鮮関係は長崎市内に比して高いといわれている。

（3）島内レクリエーション

空間的に限られたなかで次のようなレクリェーションが行われている。生活管理という面で会社側としても特別の配慮をしているとのことである。（後述）

a―成人レクリエーションとして

●魚つり――随所の岸壁から、またグループとして漁友会（60人）サークルがあり船外機つきつり船50ぱいある。

●野球――場所は学校グランド。会社の野球部がある。ソフトボールは地域対抗、団体対抗戦あり。

●テニス――会社のテニスコートで。

●その他スポーツ――バレーボール、柔剣道、弓道が盛ん。

●趣味――石集め、植木盆栽、洋酒あつめ、マージャン、囲碁将棋等盛んである。

b―行事

●山神祭――炭坑神社のお祭り。4月3日頃の日曜をからませ、特別公休で2日連休とする。アトラクションに島外より音楽バンド、舞踊部の手おどり、主婦会や婦人団体のバザーあり。

●盆――3日連休とし、精霊流しを会社で一括して行う。船10ぱい出し花火大会、盆おどりなどあり。

●運動会――秋9～10月頃毎日曜日に各種団体（会社従業員、小中学校、幼稚園、婦人団体など）ごとの運動会が学校グランドで。

4. 生活管理の構造

島内の生活管理は企業の最も重視する問題であり、直接間接のさまざまな管理体系が網の目のごとく一人一人の住民の生活をとらえ、生活内容を規定している。それは限られた面積のなかに多数の人々が居住することから生ずる緊密な関係を調整するために必然的に発生した面もあるが、基本的には生産基地としての機能を維持拡大しつつそのなかで労働者を最大限効率良く働かせることが目的である。

企業がかかる強烈な目的意識のもとにつくりあげている管理体系のなかに、公共機関あるいは住民の自主的組織、さらに労働組合の機能までがすべて組みこまれているように思われる。島民の公私にわたるあらゆる活動は、会社がはりめぐらした情報網を通じて職制の耳に入り、「この人はどういう人であるかということが自然にわかる」と担当者は言うが、このように私生活のすべてが会社側に筒抜けという状況を苦痛に感じ始めたとすれば、これは居住者にとって誠に大きい悲劇といわねばなるまい。しかし、逆に会社の事情もあるいは管理者個人の生活もすべてが労働者に筒抜けになる面も否めず、そこにはおのずから端島独得の住まい方のルールといったものが創り出されていたとみるべきであろう。ここではそのような観点から1970年5月現在における島内生活管理の構造を明らかにしてみよう。

①物的管理

a—環境管理：全域が企業有地であるため、環境保全のための公共の役割は、最終責任者たる企業の管理業務を補佐する関係に止まる。例えば清掃は町がやる部分と会社がやる部分をわけ、町は島の周囲を環状に走るメイン・ルートの清掃とそれに接する建物のゴミ収集を行い、会社は中央高地部の入り組んだ建物のゴミ収集、清掃を受持っている。ごみは73年1月まで海洋投棄を続けて来たが、掃除婦の1人が高波にさらわれて遭難するという事故が起り以後島内焼却に切替った。

b—社宅管理：たとえばガラスが割れたとき社宅入居者は請求書を書いて区長（後述）に提出する。区長はこれを割れた理由によって査定し、例えば80円のうち本人負担30円、会社50円と決定する。雨戸、タタミについては年2回、フスマについては年1回区長と組合とが一緒に一軒一軒まわって補修する。

②生活管理

生活管理はのそんぼ（ズボラ）休みを防ぎ、出稼率を上げ、島内の秩序を維持するために徹底的に行われている。会社の職制である管理人（区長）や外勤係員が常に社宅を巡回しており、また島内にあるあらゆる自主的組織やサークル、会社サークルなどがすべて会社側の管理体制にどこかで結びついて、あらゆる出来事（例えば夫婦げんかのようなものまで）が会社側の耳に入るような仕組みになっている。

a—会社の管理組織

会社の管理体制は総務課が主体となり、社宅管理のために「詰所」を2ヶ所設け、そこに専任の区長と数名の係員を置く。その他島全体を管理する「外勤」が3交代で3名おり、区長と密接に連絡をとる。

総務課 ┬ 1詰　区長1、係員2（2交代）
　　　 └ 2詰　区長1、係員2、補助1、外勤3（3交代）、

区長の役割は「町内会長的な性格」（会社の言）、で親がわりの生活指導、労務課の出先としてのそんぼ対策、場合によっては警察の出先きとしての役割もある。係員はほとんど毎日社宅をのぞいて

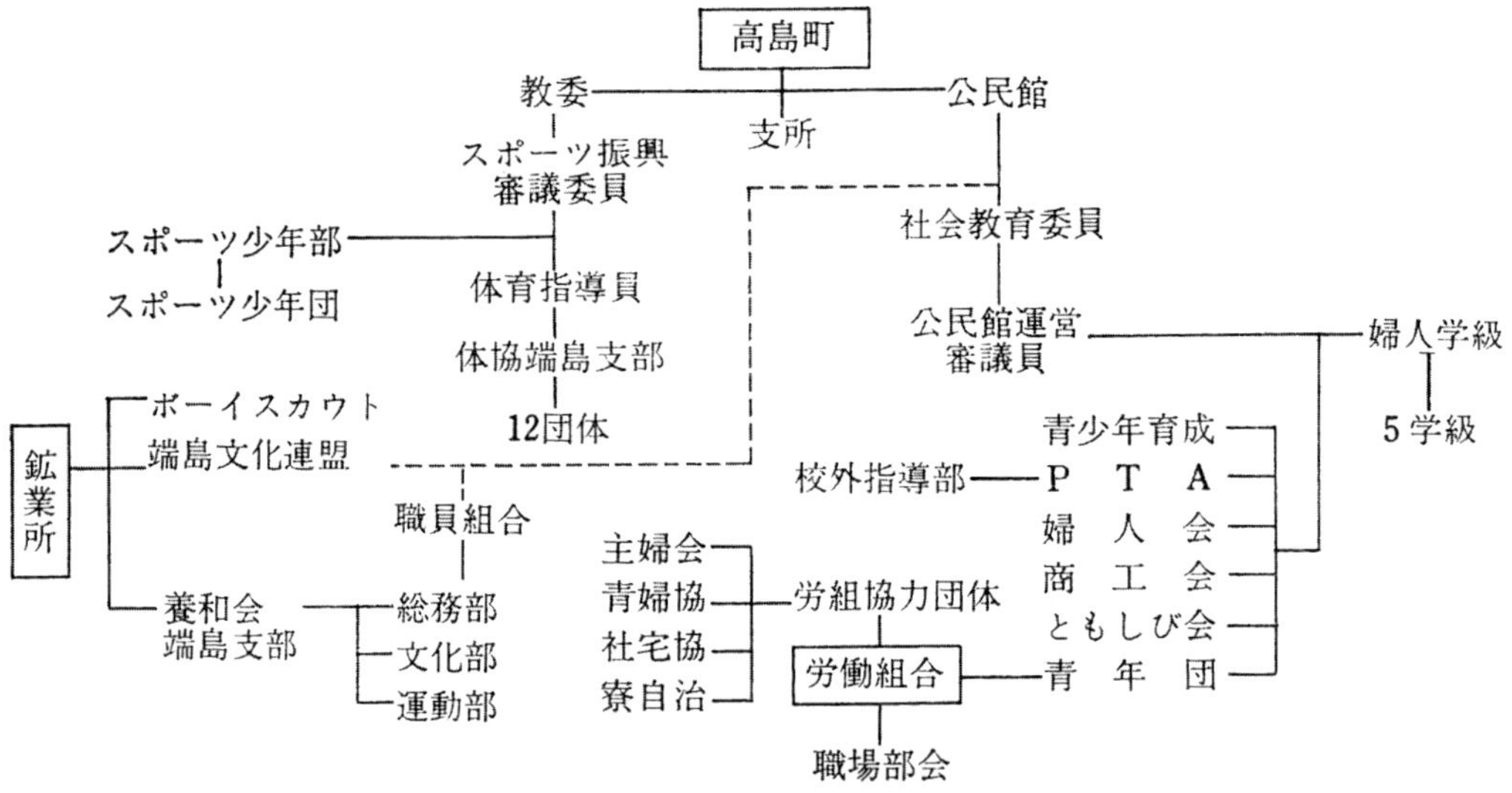

図8　端島総合社会教育活動構造図（高島町出張公民館資料 1967年ごろ）

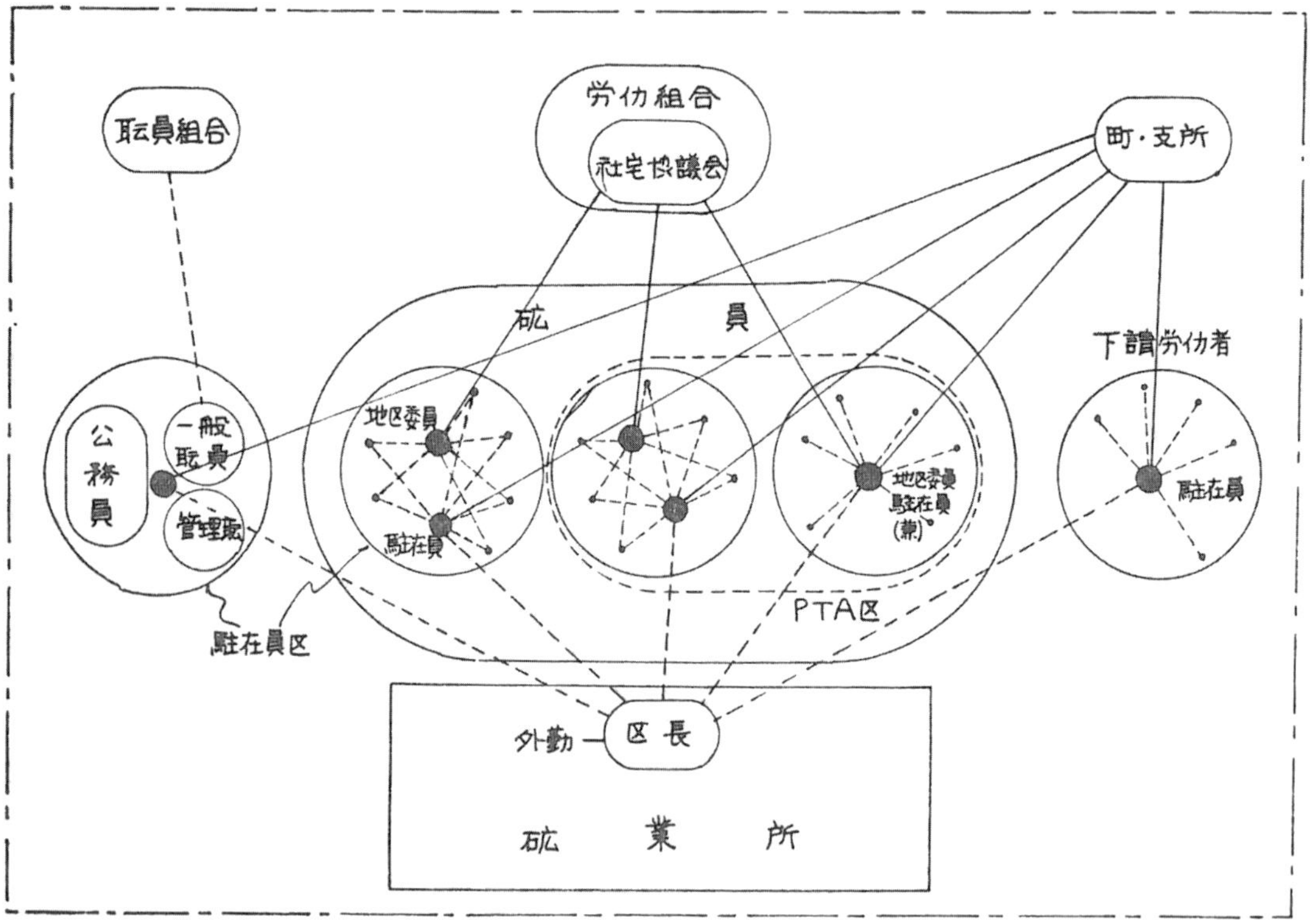

図9　端島生活管理体系概念図

まわっているので、ちょっと何かあるとすぐわかる。お産があると隣近所がまず行き、誰かがすぐ詰所に知らせてくる。夫婦げんかで隣近所が迷惑をうけると詰所に電話がかかる等々。ちなみに詰所には受信専用電話があり各住戸のすぐそばから通報できる仕組みになっている。職制をのぞいて各戸に普通電話は無い。生活指導としては家庭のムードづくりの指導もし、家庭が円満にいくようにじゅうたんの使用や洋酒セット、ベッドなどをすすめたり、夫婦でダンスをするようすすめたりしている。

70年5月現在で操業は日曜以外で25～26日／月、労働力はちょっと不足気味であるだけに出稼率さえ高ければ人員的にいけるということで、区長の役割は大きい。すなわち現在の出稼率75％を85％にすることが目標。皆勤の人もいるが月に15～16日という人もいて難しい。理由なく休む人には区長が注意する。再三休む人については労使でつくっている懲罰委員会で検討し勧告することになっている。勧告3回までは「反省」することが出来る。（以上総務課N氏談）

外勤係は船の発着時には必らず桟橋に表れて出入者のチェックを行うほか島内のあらゆる出来事に即応すべく常時パトロールを行う。選挙時のビラ、ポスターなども厳しくチェックされる。（資料4．社宅管理規定参照）

b─公的管理体制

警察は外勤と密接に連絡をとり、むしろ事件の大半は外勤の段階で一応チェックされ、その判断によって警察に報告されるのが通例となっている。

高島町役場端島支所のもとに16の駐在員区が設けられ、ここに各1名の駐在員がおかれている。役場からの委嘱費は月額１０００円である。駐在員は選挙で選ばれることになっているが競争選挙はない。駐在員の任務は、行政機関の連絡、公報配布あるいは区内に不幸があったときの葬儀委員長など自治会長的な役割である。

区の大きさは50～１００～１５０戸が単位で、区分けは職員社宅、鉱員社宅、下請け社宅と階層別に大分けし、低層、中層住宅については地域的にまとめ、高層住宅については階高で1～5階で1つの区、6～9階で1つの区とわけている。下請労働者については地域的に離れていても1つの区にまとめられている。駐在員と会社の管理体制が密接な関係をもっていることは言うまでもない。

c─労働組合

自主的管理組織としての労働組合の諸活動もまた会社側の管理体制と必然的に密接な関連をもつ。

労働組合は鉱員住宅を12区分し、それぞれに地区委員を選出して組合内に地区委員会および社宅協議会を設けている。組合の地区区分と町の駐在員区とは一致しており、地区委員が駐在員を兼ねることもある。住民要求は地区委員をへて社宅協議会にまとめられ、労使交渉の場や労使でつくっている社宅運営委員会の場に持ち出される。

１９４９年に結成された労組主婦会も同じ地区わりで役員を選出し、労組の外郭団体として要求を結集し、社宅協議会あるいは労使交渉の場にそれをもちこむ。主婦会の目的は、地域における主婦運動の中心として①物価対策、②実質賃金向上のための諸活動を行うことであり具体的には、会員相互の親睦、毎月の生活必需品の原価販売、労組と協力して中央への陳情などを行う等である。

独身寮居住者については、歴史的経過として労組結成段階ではその約7割を寮生が占めていたため、寮問題は労組の最大の要求交渉事項として、「全寮協議会」が当初より設置されて、寮の自治運営、給食の問題、別居手当問題、寮厚生費、環境改善問題等にとりくんできた。また寮代表者は地区委員の1人でもある。

d—その他自主的組織

島内居住者の自主的組織としては労働組合以外にＰＴＡや婦人会などの組織がある。宗教組織を除くこれらの組織に対して会社も適当な育成策を講じ、生活管理体系の一環として組みこんでいる。「誰がどういう人であるか」ということがこういう組織を通じて自然に会社側に把握されるという表現はけだし言い得て妙であるが、**図8**端島総合社会教育活動構造図（公民館作成）をみるとそれが実感として迫ってくる。おそらく他地域のいかなる居住者も同様に表現してみるとさまざまな組織ネットワークにがんじがらめにしばられている筈であるが、端島の場合とくにそれを強く感じるのは、絶対的な空間的制約が大きく、かつすべてが企業の管理体制の手のひらのうえにあると感じられるからであろう。ただし同図には１９７０年段階ではすでに実体のない組織も多く含まれている。図９は筆者が作成した管理体制の概念図である。

5. 居住者の意見

閉山を直前に控えた73年10月~11月にかけてわれわれは一種の飛びこみ方式で約20名の方々にアンケート調査を行った。精粗ばらばらの調査になったため、ここには住宅および住環境に対する意見を列記するにとどめておく。（職員層Ａ３人　公務員層Ｂ２人、鉱員層Ｃ13人、下うけ層Ｄ２人）

〈住宅について〉

炊事場が入口近くていやだ（Ｄ）。へやの下に乾燥場があり暑くて困る（Ｄ）。共同便所の悪臭（Ｃ、Ｄ）。共同便所は小さい子供の場合困る（Ｃ）。狭い間取悪い（Ｃ、Ｄ）。陽当り悪い、暗い（Ｃ、Ｄ）。電気代、家賃無くてとてもよい（Ｃ）。フスマ、タタミ等を会社が定期的にかえてくれてよい（Ａ、Ｃ）。延焼のおそれがある（Ａ）。火事のとき逃げ場が多い（Ｃ）。家具の塩害がひどい（Ａ、Ｂ、Ｃ）。

〈住環境について〉

欠航さえなければ島は良い（Ｃ）。カ、ハエも少なく衛生的（Ｃ）。電話がない（Ｃ）。緑が少ない、手近な子供の遊び場少ない（Ａ）。カ、ハエ、ネズミ多い（Ａ）。医者病院少ないとくに歯、眼、耳鼻、外科（Ａ、Ｂ、Ｃ）。鉱場の騒音、煙、ホコリがひどい（Ｄ）。夜静かだ（Ｃ）。隣近所のテレビやステレオがやかましい（Ｃ）。緑の少ないのは慣れている（Ｃ）。女性の娯楽施設がない（Ｃ）。１日１回昇り降りして体によい（Ａ）。大気、騒音、交通事故問題ない（Ａ）。２、３番方が昼寝るため子供の遊び場が少い（Ｃ）。

〈暮しについて〉

物価が高い、とくに生鮮類（Ａ、Ｂ、Ｃ、Ｄ）。病院や商店が組関係を差別（Ｄ）。うわさがひどい、スピーカー的な人がいる（Ｃ）。ケンカが多い、気があらい（Ｄ）。おっとりした人多く人づき合いもよい（Ｃ）。現在は職員と鉱員の差別はない（Ａ）。気楽でつき合いやすい（Ａ）。鉱員と職員のアパートの違いが不満（Ｃ）。文化水準が高い（Ｃ）。他にくらべて衣服は良い（Ｃ）。組、鉱員、職員の交流はほとんどない（Ｃ）。けんかがほとんどない（Ｃ）。給料が良いから満足している（Ｃ）。ここはよそで勤らぬ人間の溜り場だ（Ｄ）。子供たちの遊びは家の中のもの（百人一首等）陣とり、まりつきなど面積をつかわぬものが多い（Ａ、Ｃ）。

あとがき

軍艦島の最後を見届けた総務課のNさんは、74年4月17日の列車で次の勤務地である仙台へと旅立っていった。心臓病をおしての連日の閉山業務に疲れたNさんをホームで見送ったのは氏の友人夫婦と筆者のわずか3人であった。Nさんとの初めての出会いは70年5月に西山夘三、扇田信両氏の再来島の下準備に端島を単身で訪れたときであった。宿泊所や説明者のお願いをしたあと、初めて接した異様な空間構成に驚いた筆者は許しを得て数時間カメラを片手に島内を歩き廻った。このとき実は私自身全く気付かなかったのであるが、私のうしろをNさんはずっとつけて歩かれていたらしい。家々の戸口が開いていればのぞきこみ、共同便所があれば中へ入ってつぶさに眺める、通路があれば行きつくところまで行ってみるというといつの頃からか習性となってしまった筆者の歩きぶりによほどあきれてしまったのか、西山氏らと再度訪問した際に「あなたはいろんなところに興味があるんですねえ」と遠廻しに言われて気がついた。ことほどさように島内の「平和」維持にNさんたちは細心の注意を払ってきたのであった。

「総務課職員は24時間勤務だ」とはN夫人の述懐するところであったが、やみくもな強制のありえぬ敗戦後の労使関係のもとでは、生産性を高めるためにいかに労働者の生活をうまく管理するかという命題は総務課職員に課せられた最大の課題であった。なだめたりすかしたり、ときには報奨をつけ、レクリェーションを開催し、慰安旅行に家族を招待し、もめごとがあればすっ飛んでいき、冠婚葬祭の世話をやき、島の秩序を乱す恐れのあることはすべて事前に察知して出来るだけ抑える等々、休む暇もなく山積する業務はきわめて精神的にも厳しいものであったろう。「鉱員で働いている方がどれ程気楽かわからない」とNさんは言っていたが、裏方として島の秩序の維持に命をすりへらして働き、最後に2000人を越える住民を島外へ送り出し、そのあげくに長崎在住離職者たちの見送りもなく寂しく旅立っていったNさんの胸に去来したものは何であったろうか。

「それでも職員さんは親会社（三菱鉱業セメントKK）が骨ば拾うてくれよらすけんか」と鉱員の人たちは言う。たしかに閉山即解雇という事態を前にして人々はあせった。老齢化したヤマ男を雇ってくれる企業が無いのだ。求人申込みは殺到したが、厳しい年齢制限が付されているか、たまにあっても賃金がお話にならないのである。「先行き不安のある炭坑づとめはもうコリゴリだ」と言っていた人たちも傍系の高島炭礦へおがむようにして入れて貰った。若手（といっても40才前後）はあまりにも低賃金の九州をとび出して、中京、関東、関西方面へと散っていった。

われわれがいろいろお世話になった鉱員のYさんは中京方面の建材会社に移った。炭坑の仕事というものがはた目に比べていかに気楽なものであるかをしきりに強調していた彼であっただけに、新しい仕事は骨身に応えてきついそうである。だが小学3年生が頭の3人の子供たちは早くも「平地」に順応して元気に過しているという。島の、車に対して安全ではあるが極端に狭い居住空間と、気易く住みよくはあるがあまりに高密度な人間関係しか知らずに育つことと、新しいさくばくとした世界（道で行違っても誰一人挨拶を交さない――『朝日ジャーナル』74．5．17「ああ軍艦島」）で育つことと、どちらが本人や子どもたちにとって良いかなどという愚問は呈すまい。ただ「島のように自由なプロレタリアート」にとって、軍艦島が日本という国の実に見事な600万分の1であったことだけは間違いがないのであり、どこへ行こうが良きにつけ悪しきにつけ所栓は「ここもまた軍艦島」

（『朝日ジャーナル』）であったことに誰しも気がつかざるを得ないであろう。われわれもまた軍艦島を1つの尺度として身近な生活環境を見直してみなければなるまい。

（おわり）

注

【1】三菱端島砿業所所長室蔵。作成年代不詳。
【2】文久二年（1862）の絵図（長崎県立図書館蔵）には人家が全く記入されていない。
【3】大正年間の長崎新聞は、原爆罹災のため長崎市内には現存せず、未確認。
【4】端島小学校沿革。
【5】高比良氏他談、1973．11．長崎県島原市で筆者ら取材。
【6】長崎県労働組合史物語、1972、長崎県評編。
【7】同前。
【8】筑豊石炭鉱業史年表　184頁
【9】前出、筑豊石炭鉱業史年表　356頁
【10】「端島聞き書き」朝日新聞　73．11．24
【11】東洋日の出新聞　T7．9．11～16連載「高島生活の印象」吉富　莞。
【12】前出、筑豊石炭鉱業史年表　272頁
【13】同、282頁
【14】同、404頁
【15】前出、高比良氏他談
【16】前出、高比良氏他談　また中国人捕虜の数は200人位であったという。（朝日新聞）「聞き書き」73．11．26
【17】前出、高比良氏他談
【18】同前。
【19】砿長室そなえつけ資料。作成年代不詳。裏付けのため当時の新聞資料をさがしたが、長崎日日新聞は原爆消失で市内に保されていないため確認できなかった。
【20】「グラバー二代」1972．グラバー先生顕彰会編
【21】同前。
【22】前出、高比良氏他談
【23】前出、筑豊石炭鉱業史年表　438頁
【24】前出、高比良氏他談「聞き書き」朝日新聞73．11．26
【25】西山、扇田「軍艦島の生活」住宅研究、1954．4．
【26】前出、西山、扇田「軍艦島の生活」。
【27】端島労組書記長談。1953年頃のことという。
【28】前出、端島労働組合書記長談。
【29】前出、西山、扇田「軍艦島の生活」。
【30】前出「端島聞き書き」

資料

（資料1）戦前高出炭期における住生活施設および居住地管理体制
（1937年発行「三菱高島砿業所案内」より）

1．住宅

（社宅）家族持従業員には社宅を貸与し少額の修繕料（坪当り月6銭程度）を徴収す。社宅は概ね二間よりなり各社宅群より戸主会並びに主婦会世話人を選ばしめ労務外勤係員常時巡回し指導世話に当る。

（直轄寄宿舎）独身労務者のために砿業所直轄寄宿舎を設け労務係員寮監となり寮生の指導監督、教化をなし修養娯楽施設を有す

2．公共、共同施設

（学校）公立尋常小学校、青年学校

（幼稚園）私立幼稚園

（病院）医局設置、各科、病室・レントゲン装置、太陽灯等あり

（給水）飲料水は専用送水船にて長崎郊外土井首村より、雑用水は雨水及び海水。

（浴場）大浴場設置。清水不足のため労務者浴場は隔日に潮風呂。

（購買会）事業用品、一般日用品の廉価供給、特価米の配給。

（会館、クラブ）週二回演劇、映画。

（運動場）戸外運動場、武道場、弓道場、児童遊園地プール。

3．居住地管理体制

労務係に外地区担当の外務係員設置。居住上の管理統制、労務者各自の公私生活全般にわたる「指導、世話の責に任ず」る。物的管理、衛生管理も外務の任務である。

4．「自主的管理」と「教化修養」

「三菱協和会」なるものを全在籍労務者の「自治的に心身の鍛錬、福祉の増進併せて慰楽娯楽の便を図り、会員の生活改善、品性の向上」をはかる自主的団体として結成せしめ、その運営は「会の意志決定機関として代議員会あり、代議員は労務者より公選、更に代議員中より理事を互選の上職員側理事と合し執行機関を形成し、会目的の達成に努むるとともに、当所（会社側）よりの補助金を以て福利増進に関する事業を行う」というかたちで進められ、同時に「各種修養団体の統制団体」という性格も兼ねて、生活管理体制の骨格を形成する。

成人の「教化修養」に力が入れられて、月刊新聞の発行、講演会、ニュース写真掲示、山神社の奉祭、協和会修養部による「労務者の品性陶冶、修養鍛錬」を兼ねた団体訓練、その他少年団、男女青年団、戸主会、主婦会、国防婦人会などの組織による修養が行われている。

5．レクリエーション管理

趣味の会、（短歌会、俳句会、謡曲会、生花会）などがあり、すべてに会社の管理統制はいきとどいている。

（資料3）砿員社宅入居基準（1958．7．22）

第1条　高島砿業所端島砿の正式社宅への入居移転はすべてこの基準による。

第2条　社宅入居資格の発生は社宅借用申込順によるものとする。

第3条　既に入居中の者の移転並びに入居有資格者に対する社宅貸与は左の点数制による高点者優先とする。但し2人以上の同点数者がある場合は入籍の順による。

1．年功点　勤続満1ヶ月を以て1点とする。但し1ヶ月未満の者は1ヶ月に繰上げる。

2．本人及び家族点

（1）満15才以上1名につき25点とする。

（2）満15才未満1名につき15点とする。

第4条　前条第2号の家族の範囲は本人の曽祖母、祖父母、父母、配偶者、子並びに兄弟姉妹（未婚者に限る）とする。但し特別の事情のあるものについては社宅運営委員会で審議する。

第5条　社宅借用者が、公傷死又は公傷により退職した時、その家族中に在籍砿員がある場合は社宅運営委員会の議を経て相応の社宅に転居させる。

第6条　社宅借用者が停年により退職又は私傷病により死亡若しくは私傷病のため退職したとき、同居家族中に男子在籍砿員がある場合は、その点数により相応の社宅に入居させる。

第7条　転居又は新たに入居したものは原則として爾後一ヶ年間は移転することが出来ない。但し上級社宅への入居有資格者の場合はこの限りでない。新設社宅への移転資格については其の都度、社宅運営委員会で審議する。

第8条　入居を許可されたものは次の場合を除き2週間以内に入居しなければならない。

1．本人または家族が病気(産前産後を含む)のため看護を要する場合。

2．子弟の転校関係上2週間以内の入居が困難な場合。

3．その他前各号に準ずると認められる場合。

第9条　この基準の運営上の疑義・苦情並びに暫定社宅の入居については社宅運営委員会に於いて審議する。

第10条　社宅運営委員会の構成は左の通りとする。会社側3名（勤労課長又は課長代理、区長2名）、組合側3名（執行部1名、社宅協議会1名、全寮協議会1名）。

第11条　この基準の改廃は会社、組合協議の上決定する。

（注）入居基準はその後1967．1．28に改訂されたが、上記のそれと比較するならば第5、6、7条の点数計算がさらにキメ細かくされている。

新第4条　入居中の者の移転並びに入居資格者に対する社宅貸与は当砿入籍順とし点数計算は暦日点とする。但し同日入籍の場合は抽せんにより順位を決定する。

新第5条　社内配置転換者の点数は引続勤続年数を含めて計算する。但し初回の移転の際は当砿配転前の勤続年数を7割で算定して計算する。

新第6条　社宅入居者が殉職退職した場合、同居扶養親族が当砿従業員であるか、従業員になった場合には引続貸与するか、または相応の社宅に移転するものとし、移転の際の点数計算は初回に限り殉職より退職した者の勤続年数を1／2若しくは1／5で算定し加算する。

（資料4）端島砿社宅管理規程（1958．7．12）（抜すい）

第1章　総則

第1条　この規定は三菱端島炭砿の砿社員社宅管理及び使用に関し、必要な事項を定める。

第2条　砿員社宅（以下社宅という）を正式社宅と暫定社宅に別ける。

第2章　管理

第3条　社宅は砿長の命をうけ勤労課長が管理する。

第4条　会社は社宅の管理及び運営を迅速円滑にするため各区の区長をして日常管理に当らせる。

第3章　入居

第5条　社宅入居の資格者は原則として男子在籍砿員にして配偶者を有するものと限る。但し配偶者のない場合にも直系親族の家事担当者のある場合はこの限りでない。

第6条　社宅に入居を希望する砿員は、寮、詰所を通じ社宅借用申込書を会社に提出するものとする。

第7条　正式社宅入居者の選考は別に定める砿員社宅入居基準に基いて行う。

第8条　虚偽の申出又は不正の手続により入居した場合は社宅の貸与を取消、又は変更を行う。

第9条　同居家族の範囲は次の通りとする。

1. 社宅入居資格者の妻及び血族
2. 前記以外の者で、会社の許可した者。

第10条　居住者は此の規定を誠実に守り、会社が社宅管理を行う諸施策に協力し施設を大切に使用しなければならない。

第11条　居住者は次の場合は直ちに会社に通報しなければならない。

1. 建物又は附属施設を毀損し又は喪失したとき
2. 火災、風水害、盗難その他の異変のあったとき
3. 社宅又は附近に伝染病者が発生したとき。
4. その他前各号に準じ会社に通報することが必要とみなしたとき。

第12条　居住者は会社の許可なくして次の行為をしてはならない。

1. 入居許可を受けた者以外の者を同居させること。
2. 使用権の譲渡転貸又はこれに類する行為。
3. 社宅施設内における商業又はこれに類する行為。
4. 社宅施設内における危険物の使用又は建物、居住者に損害を与え著しい迷惑を及ぼすと思われる行為。

（資料２）　三菱高島砿業所
1937年第２立坑完成記念ハガキ
（高比良勝義氏提供）

5．社宅施設内又はその付近に於けるビラ等の掲示、配布又は撤布。
6．その他前各号に準ずる行為をすること。

第4章　退去

第13条　入居者は次の各号に該当する場合は速やかに社宅を退去しなければならない。
1．砿員としての身分を喪失したとき。但しけい肺患者が停年若しくは打切補償の実施により退職した場合は特に2年間に限り社宅の利用を許可する。
2．居住者の故意又は重大な過失により会社又は他の居住者に著しい損害を与えたとき。
3．第13条に違反する行為又は社宅管理上好ましくない行為のあったとき。
4．転任によって移転するとき。
5．会社都合により転居を命じたとき。

第5章　転居

第14条　会社は事業の都合上必要と認めた場合は居住者に他の社宅へ転居を命ずることがある。
第15条　居住者が転居を希望した場合別に定める入居基準により会社が適当と認めた際に限りこれを許可する。
第16条　家族構成の変化その他の理由により別に定める入居基準による当該社宅の居住資格を喪失した場合は転居を命ずることがある。
第17条　転居に要する一切の費用は原則として居住者の負担とする。但し14条による転居については移転につき必要と認めた便宜を与えることがある。

第6章　使用料

第18条　居住者は毎月社宅使用料を会社に納入せねばならない。
第19条　使用料は入居の月より退居の月まで毎月賃金より天引徴収する。

第7章　修繕

第20条　社宅の修繕は会社がその負担で行う。但し居住者の故意又は重大な過失により社宅又は附属施設を損壊した場合は居住者の負担により修繕しなければならない。
第21条　居住者は社宅又は附属施設の改造を行う場合には予め会社に申し出てその許可を得なければならない。前項の改造により附加した物件は退去の際之を取除くことが出来ない。但し事情により本人負担で現状に復工させることがある。

第8章　安全、衛生

第22条　居住者は社宅の安全衛生の維持に特に注意すると共に会社の行う保守衛生施設には積極的に協力しなければならない。
第23条　電気器具を使用する場合には予め別紙様式の届出書を会社に提出し、その許可を得なければならない。

（資料5）労使がかわした「覚書」の例

◎（1954．8）覚書

1．砿員社宅修理促進の件
①修理伝票はその都度詰所より工作課に廻送する。
②十日以内に修理が完了するよう努力する。
2．体育館備品及び娯楽品備付けの件
黒板並びにスリッパ30足を備付ける。
3．映画館料金を一定にされたい。

料金をあげる必要のある場合会社は組合双方協議する。

4．遊園地新設の件

旧9階建屋上は上期中（なるべく上期当初）にシーソーその他適当な子供用遊戯設備を実施する。B社宅屋上は将来（出来れば下期）、20号屋上と組合横空地は将来工事終了後設備する。

5．職員家族浴場の砿員利用の件

現在の実態を尊重し双方善処する。

6．30号社宅洗たく物乾場設置の件

工事終了後設置する。設置個所及び規模については組合と協議する。

9．家族浴場入浴時間延長の件

現行実態を30分延長する。

10．社宅移転（会社都合）の件

労協に従い実施する。

11．社宅便所改善の件

便器蓋を取付けた結果を見て別途話合うこととする。

12．悪徳商人追放の件

質屋営業を中止させる。

13．衛生的マーケット新設の件

新設計画が出来れば組合と協議する。

14．外灯完全点灯の件

①未点灯個所は整備する

②30号の採光方法は善処する。

◎（1957．10．26）交渉記録（これをもって覚書とする）のうち

（組　合　要　求）	（会　社　回　答）
1．各階の汐バックの所に洗たく場2、3個所つくれ	30号の洗たく場は1月中に設置する
2．各階の溝を設備せよ	30号の溝は改修の際設置する
3．各階便所を早急に修理せよ。①雨漏り②使用不能等	早急に善処する
4．南京虫退治を全社宅に実施せよ	町当局とも連絡の上早急に実施する
5．30号屋上の金網張りをせよ	応急修理する
6．30号社宅の台風による雨漏修理	応急修理する
7．社宅の壁や天井の塗替えを実施せよ	悪いところから逐次実施する
8．26号社宅炊事場を変更せよ	来年上期中に実施
9．59、60、61号2階より5階迄の通路に下水管を取付けよ	穴のあいている個所を早急に埋める
10．61号1階の通路側サクをつくれ	善処する
11．64号社宅屋上の修理	同上
12．全社宅家庭用棚板を会社より無料支給せよ	申出があり必要と認めれば棚を作製する
13．宮の下遊園地を本格的に改修せよ。例えば砂場シーソーの新設、懸垂棒をブランコに取替えよ	12月中に整備する。懸垂棒はブランコにとりかえる
14．塵芥捨場の集約及び衛生化。現在の2ヶ所に捨てているがこれを1ヶ所に集約し衛生的に捨てることが出来るよう具体的な措置を講ぜよ。	検討する

◎1965．7．1　在籍砿員住宅賃金金融規程

社宅関係の一部

1．勤続20年以上の定年退職予定の在籍砿員で停年到達前1年以内のものが自宅の建築又は購入のため資金を必要とする場合はこの規定により住宅資金を融資する。

◎１９６６．１．13　覚書

1．プロパンガスへの切替は個人の希望によるものとし、希望しないものの電力扱いは現行通りとする【*】。

2．プロパンガスは年間4本（10kgボンベ）１本当り各人負担１００円にて配給。

3．電力基準は年間平均１３２kw／hまで無料。これをこえる場合は１kw／hにつき5円。

＊プロパンガス導入以前は灯油の配給あり。

◎１９７０．９．17　覚書

1．日給社宅17、18、19号6階は2舎を1舎に改造する（10戸）。上記入舎条件は家族の多いものを対象とし、具体的には社宅運営委員会で決める。（実施期間70．12～71．12迄）【*】

2．日給社宅の5階以上の流し台をステンレス製にかえる。なおカマドは流し台にレベルを合わせる。（実施期間70．12～71．12迄）

3．旧65号社宅の押入戸、中切戸をベニヤ襖帳戸に切替える。（実施期間71．2～71．11迄）

4．昭和館【**】について椅子１００脚購入し、暗幕を取りかえ窓の塗装を実施する。舞台裏のパノラマについては現場実態を見た上で改善する。（実施期間70．12～71．4）

5．白水苑【***】は年に数回一般家庭人に利用させる。具体的実施方法についてはその都度話合う。パチンコ及びマージャン荘を設置（業者に委託する）。

【*】　実施期間を明記させることに組合は全力をあげたとのことである。
【**】　島内唯一の映画館兼劇場
【***】　会社営スナック

付記・厳しかった端島（軍艦島）の調査

片寄俊秀

1　全島が会社用地という暮らし

まだ「生きていた」頃の端島（軍艦島）との付き合いは、私が1970年4月に長崎造船大学（現・長崎総合科学大学・私立）の建築学科の教員として赴任したその年の5月に、恩師の西山夘三、扇田信両先生が視察に来られた時から1974年1月15日の正式閉山のあと最後の連絡船で島を離れた同年4月までの5年足らずの間である。

今回、端島鉱の閉山直後の1974年に「住宅」誌の5、6、7月号に3回連続で掲載していただいた拙文を本書に再録していただき感謝申し上げたい。ただ、なにしろ40年も前に書いた駆け出し研究者時代のレポートである。しかも内容的には、後述するようなさまざまな制約の中で、なんとか記録だけでも残しておきたいと急いでまとめたものである。その後端島研究からは基本的に離脱したので、今さら追加も修正も無理と考え、字句の訂正以外は原文のままで再録していただいた。なお私自身は長崎総合科学大学に1970年から2006年春まで26年間在職して、ずっと長崎市内に居住していたので、その間端島は常に身近にあったし、後述するように何度か阿久井喜孝先生（当時東京電機大学）の調査に同行して上陸し、建物などの風化していく経過を観察している。

初めて訪れたのは、西山先生らの来島について会社側と事前に打ち合わせするためであった。絶海の孤島の限られた敷地にぎっしりとコンクリートの中高層住宅が建ち、そこに何千人という人々が暮らす、その威容と生き生きとした不思議な光景にまず圧倒され、魅了された。完全なカー・フリー（クルマなし）の超コンパクトな生活空間は、当時西山先生が世界デザイン会議の場で提案されていた未来都市のイメージの一つである「イエ（家）・ポリス――入口では靴を脱ぐようにクルマを脱ぐ高密度集積都市――」の概念がそのまま現実化したもののようでもあった。

端島に暮らす人々は、この巨大な超高密の集積都市の中で、長年月にわたってさまざまな生活経験を蓄積されてきたのである。高度に集積した集合住宅群に住まう経験蓄積の少ないわが国で、他にこれほどスケールの大きい事例を知らない。それだけでも、このまちの空間構造と人々の暮らしの関係は貴重な蓄積であり、できればしっかりと学ばせていただく必要があると思い、その後時間を作っては端島通いを重ねた。当時ほかには外部研究者の姿を見かけなかったので、いま自分が記録しなければというある種の使命感もあった。しかしこれが今では想像できないほど困難な仕事ではあった。

長崎港からの通船は、多い時には一日9便もあったが、時化でしばしば欠航した。到着した船着場では毎回、鋭い眼差しの「外勤」と呼ばれる会社の監視員の方に厳しい口調で呼び止められた。素性と目的を誰何され、会社の窓口に連れて行かれては細かい制約事項を遵守するよう確認され、滞在時間を切られ、歩く後を密かに付けられるなどの厳しい管理体制のもとでの調査であった。住民の方の声を直接伺うなどにはかなりの困難があった。なにしろ外部との電話は「外勤詰所」の公衆電話しかなく、夫婦喧嘩はその日のうちに会社に伝わるというほどの管理社会なのである。

一般的な住環境では考えられないほどの厳しい管理体制の存在は、危険と隣り合わせで常に緊張感のただよう石炭の生産現場と労働者の日常的な生活環境とが完全に一体化している離島炭鉱ならではの特殊性として、いわば必然的なものであったかもしれない。要は島の全体が会社の所有地であり、入島そのこと自体が鉱場敷地への入構になるわけである。それだけに会社側にとっては何一つプラスになりそうもない外部研究者の入島が迷惑千万と受け取られたのも無理はない。しかし何度訪れてもこの関係は一切変わらず、顔なじみになっても笑顔ひとつ見せてくれない外勤の方や窓口との毎回のやりとりは、けっこう気の重いことではあった。

それでもめげずに通ううちに、閉山が近づくにしたがって会社の応対にも少し変化が出てきたし、また厳しかった管理体制にも若干の緩みが出てきたように思われ、機会をみつけては飛び込みで何人かの方から直接お話を聞くことができた。慣れた仕事から解雇され、再就職もままならず、家庭内の主人としての地位が危うくなって昼間から酒とパチンコに憂さ晴らしをする不甲斐ない亭主を怒鳴りつけつつも、毎日の家事と子どもの世話をきちんとこなし、次の暮らしへの準備を着々と進める主婦たちの逞しい姿はまことに印象的だった。わが国最古の鉄筋コンクリート7階建て住宅の30号棟で下請け会社の労働者の方にお話を伺ったこともある。老朽化したこの建物では、雨漏りがひどくて、室内に大きい波板の樋がつけられていたのを記憶している。

一方、文献をさがして島と炭鉱の歴史を紐解こうと努力をしたが、端島について何らかの記述のある文献はきわめて少なかった。隣接の高島炭鉱関連や九州の炭鉱全般についての文献にときどき断片的な記述があり、そこから迫ることとした。また、長崎県立図書館と長崎新聞社が所蔵する戦前からの過去の新聞のバックナンバーを一枚一枚めくって端島関連の記事を探した。現在の長崎新聞とその前身である東洋日の出新聞、長崎日日新聞、長崎民友新聞などであるが、事故発生の記事をいくつか見つけたものの、戦前、戦中における端島での厳しい暮らしを物語るような記述を見つけることはついにできなかった。

また、あいまいになっていた人口統計数値をなんとか正確にしようと関係の役場を訪問して資料を集め、考察した。幸い元端島砿業所勤務の長崎造船大学の技術員で、ご夫婦ともに端島育ちという方と大学の職員アパートが同じであり、いろいろお話を聞かせていただいたし、同氏のご紹介で端島在住の現役の従業員のお宅を訪ねたり、端島出身で長崎在住の方にお話を伺ったりした。またゼミ生で端島出身の男子学生には「わが住み方の記」を卒業研究にするよう指導した。こうしてなんとかまとめたのが本レポートである。私の端島研究はこのレポートだけで終わり、以降は研究から撤退した。

2　端島の「光」と「影」

一つは研究途上で端島のもつ歴史の暗部に出会ってしまったことによる。九州にある大学だけに身近に炭鉱関係者やその子弟も結構居られ、親しい学生の中には１９６５年の三井山野炭鉱ガス爆発事故の犠牲者の家族もいた。また、私の実兄の一人は戦後の一時期佐賀県で中小炭鉱に務めた経験があり、もう一人の兄も地質屋で石炭関係の調査に従事していたので、私自身が炭鉱と全く無縁というわけではなかったが、白状すると炭鉱の歴史についても、鉱山における人々の暮らしについても、それまでほとんど知識がなかった。

1970年の調査時。右から、扇田信氏、湯川利和氏（当時、長崎造船大学教授）、筆者。

戦前の「圧制ヤマ」と呼ばれた鉱山労働者の底辺における奴隷労働のような実態、そして中国人捕虜および朝鮮半島出身の方々の徴用工と騙されたり強制連行されたりして重労働を強いられた方々の問題を含め、本文で私が少しだけ触れた端島の歴史にある暗い過去の事実については、端島のことを調べだしてはじめて知った次第である。衝撃を受けた私は懸命に文献を探し、手探りでようやくみつけた断片的な資料を本レポートのなかに少し書き込んで公表した。

じつはそのことが、当時私のごく身近に居られた端島出身の方々の「失った故郷」は美しい思い出だけにしたい、これ以上暗い時代のことをほじくり出さないで欲しいという願望とぶつかったのである。故郷がなくなったということの心の痛みは、他人にはわからぬ深いものがあろう。彼らの訴えるようなまなざしに私は耐えることができなかった。じっさい、元の居住者の方に伺うと、昔の圧制時代の噂は聞いたことがあるが実態は全く知らないとのことであり、会社の人にも思い切って尋ねてみたが、当時の資料はすべて台風被害で流失したので全くわからないとのことであった。

たしかに島に何年暮らしていても、狭い島内をわれわれのように自由に動き回るということはまずないことを理解しておかねばならない。社会階層と居住場所とが明確にリンクしているので、居住者が日常気兼ねなしに動き回れる空間は、それぞれの所属階層によってきわめて狭く限定されていたのである。子どもたちもそこは心得ていたようだ。まして戦前戦中の時代に、島の片隅にあったとされる朝鮮人の徴用工や中国人捕虜などの居住場所に用事のない人間が近寄るなどはまずあり得なかったと思われ、一般の方々は本当に知らない様子であった。

炭鉱以外にもわが国の近代産業遺産の多くに同様の歴史が秘められている。「栄光の産業遺産」は、同時にその過程で犠牲になられた方々、なかんずく中国、朝鮮などからさまざまな事情でその渦中に巻き込まれ過酷な人生を送らされた方々の立場からは、まさしく「負の遺産」でもある。産業遺産の保全には、そういう歴史を知り過去と真正面から向き合う機会としての価値があると思う。

研究を展開していくには歴史の暗部の問題から目を背けてはならないとの思いは自分の内部で高まったものの、どこからどう手をつけていいか皆目見当がつかなかった。やるからには決して中途半端にはできぬ重い課題であり、本腰を入れるなら総合的学際的な研究体制もつくる必要があるが自分にはとてもそれだけの力量がない。個人的には別の大きい研究テーマを抱え、同時に地域で進む中小河川のドブ川化や洪水対策の問題、諫早湾開発などの大規模な環境破壊問題にも首を突っ込みはじめていた私には、これ以上端島に本腰で取り組むだけの時間も勇気もなく、ついに中途半端なまま端島研究から離れることとした。

なお端島をめぐっては、その後島内の高浜村端島支所の跡地に残されていた1939年から1945年に至る間の「火葬認可証下付申請書」が発見され、そこに明記されていた日本人1162人、朝鮮人122人、中国人15人についての氏名、年齢、本籍地、死因等を故・岡正治牧師らが詳細に分析されて実態の一部が明らかにされた。そのあとを受け継いだ作家の林えいだい氏が、家族に生死も知らされず何の補償も受けていなかったそれらの死者の本籍地に連絡を取り、現地にも足を運んで聞きとり調査をされた。こうして、さきの「申請書」に変死（爆傷死）とか埋没による圧死とか窒息死などと記されていた、おそらく坑内事故か虐待等で犠牲になられた何人かの方の、故郷からこの絶海の孤島までの足取りが記録に残され、公開された。関係者のご努力に心からの敬意を表するとともに、その努力を決して無駄にしてはならないと思う。【1】【2】

もう一つは、「外勤」の目を盗んで飛び込みで住民のナマの声を聞いたときに、自分のいちばん気になっていた「管理社会の息苦しさ」のようなものを伺うと、「とんでもない。何もかもあけっぴろげで、住民同士みんな思いやりがあり、おまけに住居費はタダ、光熱費も安く賃金も悪くないし、5年頑張れば炭鉱年金がつく。こんな住みよい天国のようなところは他にないと思う」と口々に「本気で」言われたことである。

私のレポートでは、この息苦しそうにみえた管理社会の構造にかなり力点を置いてしまったが、外から見た目には厳重に管理されていて、いかにも住みにくそうにみえた軍艦島が、住民自身には、じつはもっとも住みよい「理想的なコンパクトシティ」であったのかもしれないと思うに至って、他人の住まいぶりについての、自分の勝手な思い込みや価値判断は禁物であることを知った。

一方、管理する側である総務課の方が、雑談の中でふと漏らされたのは、長崎市内に買い物に出かけても、いつも誰かに見られているような気がして休まる時がないという言葉であった。私自身はそれまで管理される側のことばかりが気になっていたが、管理する側もまた、ある意味では日常的に針のむしろに座らされているような立場でもあり、逆により多くの眼差しでもって監視されているという辛さがあったのだ。

端島研究を通じてこのように多くを教わるとともに、これ以上の端島研究にはまったく別の視点ももつ必要があると思った次第である。幸い長崎造船大学時代の学生の一人であった気鋭の建築家中村享一氏（長崎市在住）が、なぜあれほどの巨大投資が経年的に続けられてきたのかという疑問からスタートして、軍艦島の産業技術史的な視点からその空間形成史に一石を投じる独自の研究を継続的に展開されており、本書の写真の同定にも参加していただくことができた。記して謝意を表したい。【3】

3　端島と千里ニュータウン　二つの居住地の比較

1970年の4月に大学教員になる前は、大阪府企業局に勤務して建築・土木系の技師として、主として千里・泉北ニュータウンの開発事業に8年間従事した。わが国におけるニュータウン開発事業のまさに草分けであり、研究者に転進するにあたっては、内部にいて自らその事業の進捗にかかわり、かつ経過をつぶさに観察してきた貴重な経験を踏まえて、できるだけ克明に経過を記録するとともに客観的に評価する研究をしようと決意していた。

端島研究と並行して研究を進めていた過程で、もちろん規模的にも雰囲気的にも見事なほど対比的な空間ではあるものの、端島と千里ニュータウンとには何か共通した雰囲気があるなと感じた。

それはおそらく両者がともに自然発生的な集落ではなく、まさしく人為的に作り出された都市空間であったことによろう。加えてニュータウン開発が独立採算事業として進められていたことから、単一の事業主体が全体を統括し、かつ経営の視点から、利益をもたらさない住宅以外の施設投資を最小限に抑えたいとするインセンティブが働いていていたことが端島と共通していたのではないかと考えた。

そう思って比較してみると、端島の方が歴史も古く、自立性が高くてより成熟しており、施設としては千里ニュータウンと同じ程度の施設はほぼすべて充足したうえで、さらに若干の豊かさが感じられた。住環境の改善や充足についての要求主体として、ニュータウンにはない労働組合という存在が機能していたとみるべきかもしれない。

興味深かったのは、わが国のニュータウンには「心の拠り所」や娯楽の場が少ないことが住環境としての大きい欠陥であると指摘されてきたが、端島には島の最高位置に「炭鉱神社」があって、会社も労組も一緒になった島をあげての賑やかな祭礼があったし、また「全宗」と島の人が呼んでいた、葬儀の際などにはどの宗派の人にも対応されていた禅宗のお寺と僧侶の存在が、ニュータウンとは大いに異質な点であった。

4　新しいタイプの観光地として

端島炭鉱が正式に閉山したのが1974年1月15日、居住されていた方々が全員撤退されたのが同年4月20日で、私はお誘いした『日本沈没』の著者の小松左京さんとともに、端島と長崎を結ぶ定期船の文字通り「最終便」で島を後にした。この船にはその後本格的な端島研究に取り組まれた東京電機大学の阿久井喜孝先生もご乗船であったとのちに伺った。

閉山後しばらくしてその阿久井先生から連絡があり、学生たちと無人になった島の建築調査をするので同行しないかと誘っていただき、その後数年にわたる阿久井研究室による長期継続調査に何度か便乗して無人となった端島に上陸した。

訪問のたびに急速に風化と崩壊が進む端島の姿を見るのは辛かった。立体パズルのような複雑な構造を縦横無尽に使いこなして子どもたちが生き生きと遊んでいた「生きていた」頃の情景を思い出すと、胸が締め付けられるような気持ちになった。

いまや壮大な廃墟となり風化が進む鉄筋コンクリートの中高層住宅の建築類は、まさしくわが国の黎明期のものであり、毎年夏になると大勢の学生さんたちを引き連れた阿久井先生らがやってきて、猛暑の中を憑かれたように実測調査に取り組み、数々の新しい発見をされた。私自身は住まい方などの視点から調査に入ったのであったが、モノから見ていく調査は経験がなかっただけに、阿久井先生の「端島には学ぶべきものが山ほどある」という真摯な姿勢に感銘を覚え、またモノに触れ、実測しながら細部に秘められている知恵や工夫を掘り起こしていくという研究手法にも目を見張った。端島の建築群には、細部に鉱山の技術が自由に生かされているのが面白いと教わったが、継ぎ足して積み重ねた結果、階ごとに柱の位置がずれていても平気で、それをさまざまな支え方で臨機応変に解決していた。

鉱山技師は、溶接のような器用な仕事も土木スケールの荒仕事もこなせる万能技師であることは大学の技術員の方の力量からも知っていた。岩山にアンカーを打ち込んで建物を引っ張るなどという、鉱山では当たり前でも建築の世界ではあまり見たことがない技法もいろいろ施されていた。また海外との関係が密接であった証拠に、当時わが国で他ではまだ導入されていなかった最新の輸入技術や資材もかなり自由に使われていた。

ユネスコの世界文化遺産「明治期日本の産業革命遺産」への登録が勧告され、産業遺産観光地として高い評価を受けている端島には、いま驚くほど多くの人々が関心を持ち、長崎の新しい観光のスポットとして人気を集めている。たしかに、わが国では他に見ることのできないその独特のフォルムと魅力的なシルエットはフランスのモン・サン・ミシェルにも匹敵し、壮大な廃墟景観は映画のロケ地にもなったりして、とくに若い人々を惹きつけているようだ。観光遊覧船が動き出し、上陸して島の一部だけガイドの案内が付いて見学できるようになって、いよいよ人気は急上昇。新しいタイプの価値ある観光資源の登場が地域にかなりの経済効果をもたらしているようだ。

だが、すでに端島を構成していた建物群の風化は相当進んでおり、大規模な崩壊が起こる可能性もあって、建物内部はもちろん近づくことさえ危険であり立ち入りは絶対に禁止しなければならない。風化はますます進み、このままだと早晩のっぺらぼうの岩の島になってしまうだろう。

おそらく、いろいろな修復整備の計画が検討されていることと思われる。たとえば崩壊しつつある建築に支柱や添え木を配して、広島の「原爆ドーム」のように無理に保存し見学できるようにするなどであろうが、いっぽう崩壊して放置されている建物の大量の瓦礫の無残な風景をどうするかという問題もある。端島がいちばん輝いていた時代といえば、島の全体が立体パズルのような構造のさまざまな空間に人々の暮らしが息づいていた頃であろうが、そのもっとも興味深い光景を復元するというのはどう考えても無理がある。では修復整備するとして、どの時点のどういう風景をいかなる文脈で保存や復元していくのがいいか。さらに、そのための莫大な整備費と今後の運営と維持管理費をどう捻出するか。

もともとこういう、人々の生活の場であった空間が風化し崩壊していく過程で、それを「観光資源」として活用するというのは、なかなか微妙な問題を多く含んでいる。とくに心無い人たちによる「観光」という行為は、ときに「観られる側」の神経を逆なでするからである。では、これから端島をどうしていくのがいいのだろうか。せっかくの機会なので、少しだけ私見をのべておきたい。

まず、端島がわが国の近代化過程の本質的な部分を表現する、きわめて重要な「産業遺産」の一つであり、多くの人々に開かれた観光地にすることは決して悪いことではないと考える。観光とは本来その地の「光」（すばらしさ）を「観る」あるいは「観せる」という行為であったことに思いを致すならば、抽象的な表現になるが、端島という異様な空間に接したことで、観光客自身が学び、自らを高めるきっかけを得ることができるという方向こそが、端島整備の基本的な方向というこことになるのではなかろうか。

そこで、端島の威容に衝撃を受けた人々が、さらに踏み込んで端島のすべてに興味と関心を広げ、さらにその延長上に、端島をふくむ「長崎」というまち全体へと関心を広げ、そこに刻み込まれた日本近代化過程での歴史へと思いを馳せ、またその知的な要求に対応できるよう、これからの整備のあり方を方向づけるのが良いと思う。

合併して端島も市域に含むようになった長崎市とその周辺は、ポルトガルと中国、のちにはオランダそして欧米各国との交易拠点として16世紀の後半にいわばニュータウンとして造られた都市の中心部を軸に、近世以降まさに歴史の大波に翻弄される小舟のような存在として今日までできた。その波乱に富んだ歴史は、地域のあらゆる空間に刻み込まれていて、いわばわが国の近代化過程の全てが一つのまちのなかに見事に凝縮して存在している。鎖国の間にも海外に開かれていた歴史があり、明治開国のあとは石炭産業を一つの柱に大成長を遂げた三菱という世界的大企業を生んだ土地であり、戦時中は艦船や兵器の生産が原爆投下を呼び込み、多くの死と瓦礫の町から市民の努力で懸命に復興した戦後は、「平和」を発信する象徴的な都市としてナガサキの名を世界に広めてきた。

産業遺産としての「光」と「影」を併せもつ端島を、この長崎のまちの重厚な歴史の文脈の中に明確に位置づけることこそ、端島のこれからの活かし方であると考える所以である。

島への上陸を進めるためにどうしても島内整備を進める必要があるとすれば、やはり風化の過程そのものを近接して見学できるようにする安全なルート整備であろうか。いずれにしろ厳しい自然環境での維持管理の困難さを考えると整備費用は最小限にとどめたい。コンクリート構造物などの風化過程そのものはきわめて興味深い現代的な研究テーマであり研究のプロセスが見学できるよう、きちんとした科学的な解説をつけた見学コースはあっていい。端島に培われていた産業技術史的遺産については、それ自体きわめて興味深い内容であり、さらに研究を深めて島内にかぎらず適当な場所で動態展示などもふくむ科学技術史博物館的な方向で紹介するのが良いと思う。

とはいえ、島全体の保全整備の具体的な内容としての個人的な希望を率直にいうと、島内に目立つ施設を造って観光地らしくしたりすることは避けて欲しい。人間が絶海の孤島に無理に造った「栄華の都」が、役割を終えてものの見事に風化して自然に帰っていくという壮大なドラマが、いまここで展開されているのである。それを観光客が遠巻きにみつめ、さまざまな想いをめぐらすという接し方こそが、端島にはもっともふさわしく、真に端島の「光」(「影」を含めて)を観せるあり方ではないだろうか。(2015年春記す)

【注】

1 長崎在日朝鮮人の人権を守る会「端島の呻き声――発掘「端島資料」が問いかけるもの」原爆と朝鮮人第4集。同会発行、1986。

2 林えいだい『死者への手紙』明石書店、1992、同『筑豊・軍艦島』弦書房、2010。

3 中村享一「明治期における端島坑(通称軍艦島)の成立と展開に関する研究―埋築と建造物の変遷を通じた産業技術史的分析―」産業考古学会(150)、10-20、2013-12ほか。

あとがき

白状すると、編者は一度も軍艦島に上陸したことはなかった。10年前に西山文庫の夏の学校の機会に観光船で島の周りを一周しただけである（当時は上陸は禁止されていた）。本書の出版の話が出てからも、もうとっくに廃墟になっているし、見学場所もごく一部だし、今頃行ってもなぁ……という気分でいた。ところが最近になって身の回りでも「軍艦島に行ってきたよ。良かったよ」という声が急に多くなってきた。ネット上でも大いに盛り上がっている。テレビでも頻繁に軍艦島を取り上げた番組が放送されている。これはどういうこと？

本書の編集にメドがついた頃、2015年3月に、西山研究室の先輩で本書にご寄稿いただいた片寄氏、創元社編集部の山口氏と私の三人で、片寄氏の昔の教え子で軍艦島にも詳しい建築家、中村享一氏に案内をお願いして、上陸観光船ツアーに参加することにした。当日は、数日来の寒波の強風も弱まってきていたので、船乗り場で「今日は上陸できますよね？」と聞くと、「それは島の桟橋まで行ってみないと……」という返事だった。確かに「天気晴朗なれども波高し」で、外洋に出るとうねりで130人乗りの船も揺れる。乗客の中には船酔いで顔が青ざめた人も。「上陸するとトイレはありませんよ」との注意もある。それでも船は全国各地からの老若男女で満員、外国人も、クルマイスの人も。これだけの人を惹きつけるものは何だろう？

ツアーは、長崎港を出るときから帰着するまで、港周辺に散在する産業遺産や伊王島、高島、中の島、軍艦島と連なる炭鉱の解説、軍艦島の歴史等のいくつものビデオ、上陸後も三つの見学ポイントでの懇切丁寧な解説などを観光客は熱心に聞いていて、さながら修学旅行となっている。時間割に従って次々と観光船がやって来るので上陸時間は限られている。それでも観光客は熱心に聞き、写真を取り、感嘆の声をあげている。

こうした軍艦島への関心が、廃墟美の魅力や近代石炭産業の輝かしい発展の歴史だけにとどまらず、その中で多くの人々が働き、暮らし、生まれ、育ち、そして亡くなっていった生活空間の実態と歴史の光と陰にも広がれば、軍艦島の持つ意味も一段と深まるのではないか？

そうした確信を深めてこの不思議の島を後にした。

松本　滋

■編集

NPO西山《にしやま》夘三《うぞう》記念《きねん》すまい・まちづくり文庫《ぶんこ》

略称「西山文庫」。西山夘三京都大学名誉教授(1911～1994年）が生涯を通じて創作、蒐集したすまい・まちづくり関連の膨大な資料を整理・保存・公開し、それらを基礎に、西山夘三の遺志を継いで現代と未来のすまい・まちづくりの研究の発展と啓発・普及の進展に寄与することを目的として1997年に設立されたNPO法人。事務所は、京都府木津川市の積水ハウス総合住宅研究所内に置いている。詳しくは、公式ホームページを参照。

■編集代表

松本《まつもと》 滋《しげる》

1948年倉敷市生まれ。京都大学建築学教室西山研究室の最終ゼミ生の一人。同大学院工学研究科博士課程修了。京都大学工学博士、一級建築士。兵庫県立大学名誉教授。NPO西山夘三記念すまい・まちづくり文庫前運営委員長。同文庫編集『昭和の日本のすまい―西山夘三写真アーカイブズから』（創元社、2007年）の編集代表。

軍艦島《ぐんかんじま》の生活《せいかつ》〈1952／1970〉

――住宅学者《じゅうたくがくしゃ》西山《にしやま》夘三《うぞう》の端島《はしま》住宅調査《じゅうたくちょうさ》レポート

2015年 6 月20日第1版第1刷　発行
2025年 2 月20日第1版第7刷　発行

編　集　NPO西山夘三記念すまい・まちづくり文庫
　　　　編集代表 松本滋
発行者　矢部敬一
発行所　株式会社創元社
　　　　https://www.sogensha.co.jp/
　　　　本　　社　〒541-0047 大阪市中央区淡路町4-3-6
　　　　　　　　　Tel.06-6231-9010 Fax.06-6233-3111
　　　　東京支店　〒101-0051 東京都千代田区神田神保町1-2　田辺ビル
　　　　　　　　　Tel.03-6811-0662
印刷所　TOPPANクロレ株式会社

ISBN978-4-422-70099-1　C0072